« LES AVENTURES DE L'ESPRIT »

DU MÊME AUTEUR

LA VIE DES MAÎTRES
TREIZE LEÇONS SUR LA VIE DES MAÎTRES

BAIRD T. SPALDING

ULTIMES PAROLES

Traduit de l'anglais par Louis Colombelle

ROBERT LAFFONT

ISBN 2-221-04624-1

Ce livre est dédié avec amour aux Grands Êtres, nos Frères Aînés, qui se sont élevés sur une spire plus haute. Malgré cela, Ils apportent leur aide à notre Humanité, indiquant toujours la voie vers la Vérité, la Liberté, et les Royaumes Supérieurs de Conscience et de Compréhension.

NOTE DE L'ÉDITEUR

Jésus a dit : « Les choses que j'ai faites, vous les ferez aussi, et vous en accomplirez même de plus grandes. »

Baird T. Spalding est décédé le 18 mars 1953 à Tempe, (Arizona) à l'âge de 95 ans. Les chapitres du présent livre sont extraits des conférences qu'il fit en Californie durant les deux dernières années de sa vie sur la Terre.

Sommaire

Esquisse biographique

Lorsqu'il y a un flamboiement d'intérêt général pour une personnalité ou ses œuvres, comme ce fut le cas pour les lecteurs de La Vie des Maîtres, *on peut être certain qu'il est accompagné par une flamme de Vérité Spirituelle.*

Dans les temps modernes, peu d'écrivains ont suscité autant d'intérêt que Baird T. Spalding dont le nom est devenu une légende dans les cercles de Vérité et de métaphysique de la première moitié du XXe *siècle. Rares sont les penseurs qui ont ressenti au même degré que Spalding la flamme d'inspiration spirituelle qui balaya le monde à cette époque. La nature de cet homme, la manière dont son message a été présenté, et le Message lui-même, offrent tous un témoignage vivant de la Vérité de ses paroles et de l'honneur et de la sincérité de l'auteur.*

Les innombrables lettres reçues du monde entier au cours des années de sa vie portent témoignage de l'aide prodigieuse apportée par le message contenu dans ses livres. Ces lettres continuent à affluer bien des années après qu'il se fut élevé à un degré d'éducation supérieur.

Baird T. Spalding a passé au-delà du voile le 18 mars 1953 à Tempe, dans l'Arizona, à l'âge de quatre-vingt-quinze ans. Il s'est occupé activement de ses intérêts miniers jusqu'à la fin de sa vie.

Douglas K. De Vorss, son éditeur, connaissait probablement Spalding mieux que quiconque à cause de leurs nombreuses années d'association. Voici un extrait de l'allocution qu'il prononça le 22 mars 1953 à Tempe au service célébré en mémoire de Spalding :

« Spalding était un très paisible et humble serviteur de tous ceux qu'il rencontrait. Quelles que fussent les circonstances, il ne permit jamais de le présenter à un auditoire ni de décrire sa personnalité comme celle d'un homme ayant accompli de grandes choses.

« Depuis 1935, j'eus la chance unique de visiter avec lui plus de deux cents villes de l'Amérique du Nord. Bien que j'aie vécu en étroite communion pendant vingt-quatre heures par jour durant la plupart de ces années, je dois vous dire franchement qu'à mon avis aucune personne ni aucun groupe de personnes n'ont réellement compris cette grande âme, car il suivait trop de chemins différents sur trop de plans d'activité différents. En formulant ces remarques personnelles, je suis certain que vous comprendrez que je les expose en toute humilité, car non seulement Spalding était notre ami, mais il agissait comme un père pour beaucoup d'entre nous.

« Je ne connais dans le monde aucune ville de quelque importance où Spalding ne pourrait passer sans avoir la possibilité d'entrer dans une maison et de s'y asseoir pour

un repas. Il était toujours bienvenu. Durant le dernier quart de siècle, il vécut pour ainsi dire comme un oiseau. Il avait atteint un point de vue où les choses matérielles lui paraissaient secondaires. Ni moi, ni mes compagnons ne savaient ce qu'il gagnait personnellement. Il ne mourut pas comme un homme riche. Il possédait peu de biens matériels. Le grand héritage qu'il nous laissa fut sa découverte unique des enseignements de Jésus. M. Spalding n'a jamais écrit ou fait des conférences en vue d'un profit financier. Il était un chenal ouvert pour tous les fonds qui lui parvenaient. Il les distribuait immédiatement. Nous n'avons aucun moyen de connaître l'étendue de ses entreprises philanthropiques, car nulle personne ayant besoin d'une aide matérielle ne s'approchait de lui sans que Spalding lui donnât tout ce qu'il possédait. En conséquence, il fut toujours un homme très prospère. En fait, je ne connais personne qui, d'une certaine manière, ait été aussi riche que Spalding. Beaucoup d'entre nous enviaient la réussite exceptionnelle à laquelle il était parvenu par la rare compréhension qu'il avait indubitablement atteinte de très bonne heure dans sa vie.

« C'est il y a soixante-cinq ans, vers la fin du XIXe *siècle, que Spalding commença ses découvertes concernant Jésus et la vie des Grands Maîtres. Il marcha et causa avec des Grands Maîtres dans le monde visible, ainsi que le fit aussi le célèbre savant M. Steinmetz dont il était un grand admirateur. J'ai vu des images de Spalding et de Steinmetz ensemble. Steinmetz et Edison avaient tous deux prédit que le moment viendrait où il nous serait possible de faire des reproductions du Sermon sur la Montagne dans le langage et avec la voix de Jésus au moment où il prononça ce Sermon.*

« Beaucoup d'autres découvertes et révélations de Spalding, auxquelles j'aime à me référer, furent faites par lui au cours de sa longue vie de service et d'activité dans toutes les parties du monde. J'en reviens à la manière dont ses livres furent publiés. Des amis qui avaient connu Spalding à Calcutta m'informèrent qu'au cours des dix dernières années du XIXe *siècle, Spalding avait décidé d'écrire à la main quelques comptes rendus de ses expériences aux Indes. Certains amis lui demandèrent la permission de les dactylographier. Spalding donna son accord, et se promena de longues années avec de nombreuses copies qu'il prêtait autour de lui.*

« Finalement, une femme éminente d'Oakland (Californie) lui demanda la permission d'en faire imprimer un millier d'exemplaires sur papier ordinaire, par la California Press de San Francisco, pour les distribuer gracieusement à ses amies personnelles. Spalding donna son accord et partit bientôt après pour l'Angleterre.

« Les livres furent imprimés et donnés comme prévu. Soixante jours plus tard, et d'une manière apparemment phénoménale, la dame reçut plus de vingt mille demandes d'exemplaires du livre ! Quand Spalding revint d'Angleterre, il fut naturellement surpris de l'intérêt porté par le public à ses découvertes et permit à la dame d'Oakland d'en publier autant qu'elle voudrait.

« Ensuite, pendant une dizaine d'années, Spalding reçut presque tous les soirs des visiteurs désireux de l'interroger, ou bien fut invité chez des lecteurs. Après le dîner, il tenait une petite séance de questions et réponses et rencontra ainsi un grand nombre de gens. Après avoir achevé son travail quotidien professionnel d'ingénieur, il répondait aux

nombreuses questions soulevées lors de ces petites réunions. Le bruit s'en répandit très vite dans le public, mais elles furent interrompues quand Cecil B. De Mille engagea M. Spalding comme conseiller technique pour la partie biblique de son film Le Roi des Rois.

« Mon expérience avec Spalding commença vers 1930. J'étais spécialement intéressé par la distribution de ses livres dans le monde entier. Il y eut à cette époque un grand renouveau dans la Nouvelle Pensée ainsi que dans les lectures et les études spirituelles.

« Une rumeur commença à se répandre dans tout le pays, selon laquelle Spalding avait passé dans l'au-delà. Or, il devait partir le 4 octobre pour aller aux Indes et faire le tour du monde. Je lui suggérai alors que nous avions encore le temps d'aller ensemble à New York en nous arrêtant dans quelques-unes des principales villes du trajet pour rencontrer de nombreux lecteurs de ses livres et de dissiper les fausses rumeurs qui s'étaient répandues au sujet de sa mort. Spalding estima que c'était une bonne idée si l'on pouvait l'accomplir en une trentaine de jours. Alors, à la fin d'août 1935, nous choisîmes trente grandes villes et décidâmes de faire le voyage en trente jours. J'ai une raison pour préciser cela, c'est de rappeler que jusqu'à ses tout derniers jours, Spalding disposait, dans sa forme physique, d'une énergie à peu près illimitée. Il n'était jamais fatigué. Il pouvait vivre deux ou trois semaines en ne dormant que trois ou quatre heures par nuit.

« Il ne réclamait jamais rien pour lui-même. Il ne prétendit jamais être un grand guérisseur, ou médecin, ou voyant, ou psychiatre ou quelqu'un de cet ordre. Je peux vous assurer qu'il écrivit toutes ses œuvres de la même

manière que vous vous asseyez pour écrire à un ami. Il n'obtint jamais ses textes par écriture automatique, par clairvoyance, par clairaudience ou par rien d'analogue. Ce n'était pas nécessaire, car il connaissait les personnes qu'il décrivait de même qu'il connaissait les grands savants ou religieux tels que le Dr Steinmetz et le Dr Norwood. Ce dernier était le fameux prêtre de New York et l'ami intime de Spalding.

« Je pense que ces faits pourront vous intéresser, bien que Spalding n'aurait peut-être pas approuvé ce que nous faisons aujourd'hui, parce qu'il comprenait que la forme physique avait peu d'importance dans la vraie Vie des individus. Rappelez-vous qu'il a dit : "Le Christ est en chacun de vous." C'était la chose importante qu'il souhaitait voir comprendre par chacun. On lui demandait parfois : combien y a-t-il de Maîtres aux États-Unis ? Il répondait alors qu'il devait y en avoir au moins cent cinquante millions, c'était sa vision. Chacun devrait devenir conscient de son Unité avec Dieu et le Christ, et ne pas seulement s'inféoder à des credos, des dogmes et des sectes.

« Individuellement, si vous vous teniez ici à ma place, vous pourriez raconter chacun une histoire un peu différente. Aucune d'elles ne serait pareille à ce que Spalding voudrait vous dire en tant qu'individu ou que frère. Mais en répondant à vos questions par ses écrits et ses conversations, il ne limitait jamais le temps. J'ai su qu'il avait parlé toute la nuit à un ami pour l'aider à franchir une pierre d'achoppement. Il semblait posséder une grande intuition qui faisait de lui un grand savant. Il avait étudié à Heidelberg. Il avait travaillé à un moment ou à un autre dans tous les grands laboratoires scientifiques, particulière-

ment dans le domaine géophysique. Il fut l'un des pionniers des travaux atomiques.

« Il était particulièrement désireux d'aider les individus à s'aider eux-mêmes. Chose étrange, le principe le plus difficile à comprendre aujourd'hui pour la moyenne des gens était le peu de valeur que les possessions matérielles représentaient pour lui. Comme Jésus, il comprenait que la plus grande chose que nous puissions faire quand nous nous exprimons sur le plan physique, ici sur la Terre, c'est de vivre la Vie du Christ et détourner notre attention des limitations. Bien entendu, c'est ce que nous avons tenté de faire cet après-midi, parce que nous savons que M. Spalding est avec nous comme toujours et que nous avons constamment la chance de vivre notre Vie comme il a essayé de nous en montrer le chemin. »

CHAPITRE PREMIER

Photographies d'événements du passé

Les expériences, découvertes et révélations de nos travaux de recherches proviennent de voyages effectués depuis les ombres des Himalayas jusqu'aux grandes étendues du désert de Gobi, depuis New York jusqu'à l'Amérique centrale et l'Amérique du Sud, depuis San Francisco jusqu'aux Philippines, à l'Alaska et au Canada.

Nous avons poursuivi ce travail pendant plus de quarante ans, d'abord en traduisant les archives que nous avons trouvées au Gobi, au Tibet, et aux Indes. Ce travail a abouti à la formation d'une équipe d'environ vingt-six hommes qui s'y intéressaient et y participaient.

Les savants commencent à nous accorder un grand crédit. En fait, il y a deux ans[1], ils estimaient qu'avec notre nouvel appareil photographique et avec ce que

1. Vers l'année 1950.

nous appelons « prendre des images du passé », nous allions être capables de revenir à au moins un million d'années dans le passé et de montrer la civilisation d'alors.

On peut estimer comme remarquable que nous puissions revenir en arrière et prendre des images authentiques de ce qui se passa il y a bien des milliers d'années. On travaille beaucoup dans ce sens. Nous avons l'honneur d'inaugurer ce travail grâce à l'aide du Dr Steinmetz. J'ai travaillé moi-même avec lui, et durant toute la durée de cette collaboration il ne cessa de dire : « Nous allons construire une caméra qui pénétrera dans le passé et en photographiera tous les événements si nous le désirons. » Non seulement il continua en décrivant l'appareil, mais il en dessina les plans. Nous les exécutâmes et, aujourd'hui, nous pouvons affirmer que nous pourrions photographier et scruter toute l'histoire ancienne. Naturellement ce serait trop, mais nous sélectionnons les événements. Les savants admettent aujourd'hui et croient fermement que nous pénétrons dans un passé datant d'un million d'années.

Notre expérience initiale avec la première caméra fut décidée par le Dr Steinmetz. J'ai travaillé avec lui pendant près de neuf ans, et il a toujours affirmé que nous réussirions finalement à explorer les événements passés et à en connaître toutes les suites, en fait à montrer tout ce que les civilisations avaient exécuté, comment elles opéraient, etc. Et tout cela a fini par arriver.

Notre première expérience concerne le discours inaugural de George Washington. Il avait eu lieu dans la ville de New York à l'endroit que l'on appelle maintenant la Salle Fédérale (The Federal Hall). Sur nos clichés, on reconnaît clairement chacun des dignitaires qui occupaient l'estrade avec lui, et George Washington lui-même allant et venant devant le groupe en prononçant son discours inaugural. A cette époque il n'y eut même pas une photographie ordinaire prise de ce groupe. On en peignit des tableaux. Maintenant nous en possédons l'image réelle, avec la voix de George Washington sur un disque. Pendant un temps, tout le monde crut à une falsification que nous avions fabriquée cinématographiquement. Mais nous pouvons maintenant la montrer avec un appareil cinématographique ordinaire.

Partant de là, nous allâmes jusqu'au Sermon sur la Montagne. Maintenant, nous savons que Jésus en tant qu'homme n'était pas différent de nous. Nous avons l'histoire complète de sa famille remontant à vingt mille ans. Nous savons que sa famille était bien réputée, et que Lui était un homme très influent, un caractère bien trempé. Sa taille était de 1,87 mètre et, si vous l'aperceviez dans une foule, vous le distingueriez en disant : « Voilà un homme qui accomplira de grandes choses. » Et il les a accomplies. L'histoire le confirme aujourd'hui. Nous retournons à ce drame et en obtenons les paroles authentiques.

Nous sommes très intéressés par toute Sa vie et nous l'avons suivie sur une longue période. De plus, nous avons connu l'Homme lui-même pendant plusieurs années et nous savons aujourd'hui qu'il n'a vraiment pas passé par la mort.

Jésus de Nazareth n'a jamais prétendu pouvoir faire davantage qu'une personne ordinaire. Nous le savons avec certitude. De plus, il nous a dit personnellement que la mort était vaincue.

Le Sermon sur la Montagne a survécu comme un chef-d'œuvre spirituel. On le considère de nos jours comme tel. Les gens commencent à le comprendre et à l'insérer dans leur vie.

Nous pouvons vous montrer aujourd'hui par photographie que lors du sermon près du lac personne n'a rien apporté à Jésus sauf le petit garçon portant les cinq pains et les poissons. Ce n'est pas une allégorie. Si cela en était une, le garçon n'aurait pas figuré sur cette image. Nous n'y aurions pas non plus trouvé la foule présente. Jésus n'a dit que ceci : « Asseyez-vous et préparez-vous pour le repas. » Et il y eut de la nourriture en abondance pour tous.

Nous avons aussi le cas où un disciple dit à Jésus : « Maître, nous avons besoin de pain, et il y a encore quatre mois avant la moisson. » Jésus répondit : « Regarde les champs, ils ont déjà blanchi pour la moisson. » Or, ils sont franchement blancs sur l'image.

A l'aide de ces images, nous avons pu corriger de nombreuses erreurs admises. Nous avons travaillé huit ans sur l'image du Sermon sur la Montagne avant de pouvoir y identifier Jésus. Nous recherchions toujours un homme ressemblant à celui qui fut peint par Léonard de Vinci.

Voici une intéressante expérience dans ce domaine. Trois d'entre nous se trouvaient au Vatican. Nous causions avec un cardinal très âgé qui nous demanda comment nous progressions avec notre image du Sermon sur la Montagne. Il était très intéressé par ce que nous faisions et nous dit que nous pourrions recueillir un grand nombre d'informations si nous voulions bien prendre sa carte de visite, aller au Louvre à Paris, et demander à une certaine personne de nous montrer les lettres de Léonard de Vinci. C'était une nouvelle directive pour nous, et nous partîmes immédiatement pour Paris. En y arrivant, nous allâmes directement au Louvre où l'on nous fit l'accueil le plus aimable. Les lettres de Léonard de Vinci étaient alors toutes là et nous pourrions le prouver.

Nous avons toujours éprouvé le sentiment que le tableau de Vinci figurait le portrait de Jésus tel qu'il l'avait vu. Cela a été démontré aujourd'hui, et nous avons les lettres de Vinci qui prouvent qu'il a vu le Christ dans le visage du modèle qu'il avait choisi pour en faire le portrait. Il dit que l'homme était jeune, fiancé, et qu'il y avait une lumière magnifique dans ses yeux. De Vinci l'identifia au Christ et peignit le portrait en conséquence. C'était durant la période de la Renaissance où l'on avait l'habitude de porter les cheveux longs et la barbe. Nous n'avons jamais connu Jésus portant des cheveux longs, une barbe et une robe. Il est possible que d'autres personnes l'aient vu ainsi ; ceci est écrit de la main même de Vinci.

Deux ans plus tard, l'artiste décida de peindre un portrait de Judas. Il passa deux ans à chercher quelqu'un d'aspect assez méprisable pour représenter le traître. Enfin, alors qu'un matin il marchait dans le quartier apache de Paris, il aperçut dans un recoin l'homme qu'il cherchait, les cheveux épars, les vêtements en lambeaux, prostré et chaviré. Il alla vers lui et lui dit : « J'ai peint un portrait du Christ et maintenant je recherche un homme acceptant de poser pour le portrait de Judas, le traître. » L'homme leva les yeux et dit : « Monsieur, c'est moi qui ai posé chez vous pour le Christ. » C'était bien le même homme. De Vinci continue à le décrire dans ses lettres, disant que si cet homme n'avait jamais trahi le Christ, il ne l'aurait jamais trouvé dans ce recoin du quartier apache de Paris. Il va jusqu'à dire que si nous employons le terme « je ne peux pas », nous trahissons le Christ intérieur.

Aujourd'hui, nous pouvons prouver que l'emploi de tout mot négatif est une trahison vis-à-vis de notre Christ intérieur. De Vinci poursuivit en disant qu'il n'avait jamais pensé à peindre le visage de Jésus, le Christ, mais qu'il avait vu le Christ dans ce visage.

Léonard de Vinci était un homme des plus remarquables. Il écrivit beaucoup d'articles scientifiques qui sont excellents mais n'ont jamais été publiés. On ne peut les lire qu'en entrant dans une cage de verre tandis que trois gardiens vous surveillent durant votre lecture. De Vinci était un homme exceptionnel, et parlait constamment du Christ en nous. Il explique combien il est merveilleux de représenter le Christ, de l'apercevoir dans chaque visage. Un jour qu'il peignait dans le Vatican, les cardinaux le trouvèrent endormi sur son échafaudage et attirèrent son attention sur ce fait. Il répondit : « Pendant que je dors, je fais plus de travail qu'à l'état de veille. » Pendant qu'il dormait, il voyait devant lui tout ce qu'il allait peindre, avec les couleurs exactes qu'il devait employer. Alors il se levait et allait peindre. Il a dit : « Tout ce que je vois est une représentation fidèle, et les vibrations que j'appose sur les murs sont celles que je reçois. Je peux les manifester et les transposer très facilement après les avoir vues durant mon sommeil. »

QUESTIONS ET RÉPONSES

Q : *Comment choisissez-vous les événements du passé ?*
R : Ils sont toujours dans une certaine bande de fréquence. Tout ce que vous dites, votre voix et vos paroles s'inscrivent aussitôt sur une bande de fréquence vibratoire, et cela se poursuit indéfiniment.

Q : *Quel est le meilleur chemin à suivre pour obtenir l'illumination ?*
R : Le chemin est intérieur. Cherchez toujours plus profondément en vous-même. *Sachez* que cette grande Lumière vous appartient. C'est tout ce qui est nécessaire.

Q : *Êtes-vous né aux Indes ?*
R : Oui, je suis né aux Indes, et mon père également. J'ai étudié à l'école préparatoire locale et, plus tard, à l'université de Calcutta. Le Dr Vose et son épouse y étaient alors depuis soixante-huit ans.

Q : *Est-ce que Jésus, et les disciples, et d'autres personnalités décrites dans la Bible vivent réellement dans la chair telle que nous la connaissons ?*
R : Oh oui ! Nous connaissons la vie de bon nombre d'entre eux grâce à la caméra reproduisant les événements passés.

Q : *Quel était l'aspect de Jésus quand vous l'avez vu ?*

R : Sa taille est de 1,87 mètre. S'il était ce soir parmi nous, vous le reconnaîtriez pour ce qu'Il est, un homme du plus grand talent. Il regardait tout le monde avec son pouvoir d'aboutir à tout, comme Il le faisait et l'a toujours fait.

Nous L'avons photographié exactement de la même manière que nous vous photographions. Nous avons des images de Lui marchant bras dessus, bras dessous avec Luther Burbank, avec le Docteur Norwood, et avec bien d'autres.

Q : *Tous les grands problèmes qui affligent la pensée des hommes sont-ils complètement dominés quand nous vivons la vie des Maîtres ?*

R : Oui. Jésus a dit expressément que la Vérité nous rend libres.

Q : *Comment l'homme se débarrasse-t-il de l'idée que l'homme n'est pas Dieu ?*

R . En refusant d'accepter des affirmations négatives. L'affirmation « Je suis Dieu » vous libère de l'affirmation négative que vous ne l'êtes pas. Il vaut mieux exprimer la Vérité que le mensonge.

Q : *Si vous émettez l'affirmation « Je suis Dieu » et si vous êtes incapable d'accepter votre unité, ne s'agit-il pas d'une matière de foi aveugle ?*

R : Si vous le faites entièrement par foi aveugle, vous avez provoqué une séparation et vous manquerez le but. Il vaut mieux dire « Je peux » et vous élancer alors directement vers l'affirmation « Je suis ». Si vous adoptez la position « Je ne peux pas », vous avez accepté une séparation d'avec Dieu.

Q : *Si l'homme est Dieu et que Dieu est esprit, d'où provient le corps matériel ?*

R : D'une influence hypnotique sur la pensée humaine. En fait, il n'a pas de base. L'homme a amené la matière à l'existence. Le corps mortel est une hypnose. Quand l'homme s'en réveillera, elle lui paraîtra un cauchemar. Ce réveil ne comportera plus de rêves.

CHAPITRE II

Connais-toi toi-même

Mes amis, nous allons maintenant aborder ce qui a été exposé et prouvé au cours de plus de soixante années de travail. Nous avons aujourd'hui la preuve expérimentale que toute fonction, toute chose dans la totalité de l'univers est Divine. Appelez cette divinité du nom que vous voudrez, le plus grand est le mot « Dieu ». Pourquoi ? Nous pouvons vous démontrer que ce mot vibre au taux de 186 milliards de battements par seconde, et nous connaissons des gens capables de le chanter. Mais la beauté de l'affaire, c'est qu'au moment où vous le psalmodiez, vous êtes chaque fois cette vibration.

Or, elle est instaurée dans toutes les formes, pas seulement dans la vôtre ou dans celle d'autrui. Elle l'est dans tout, et nous prouvons aujourd'hui qu'à défaut de cette divinité, nous ne pourrions prendre aucune photographie, même d'un objet quelconque placé dans cette chambre.

Nous en avons la preuve absolue. Alors, pourquoi dire « Je ne suis pas divin ? » Excluez le mot « pas » de cette phrase, et voyez la différence qui en résulte. « *Je suis* divin. ». Telle est la vérité en ce qui vous concerne. La contre-vérité est « Je ne suis pas divin. » La vérité est « Je suis divin. » Complétez-la en allant jusqu'au bout. « Je suis Dieu. »

Nous faisons cet exposé parce qu'aujourd'hui *nous savons*. On vous l'a déjà dit, vous pouvez le prendre à la légère, ou même dire : « Eh bien, peut-être que cette personne ne sait pas. » Mais aujourd'hui nous savons, grâce à la photographie et à de forts agrandissements. Nous pouvons demander à n'importe qui de s'asseoir devant cette caméra et, grâce aux agrandissements, sa divinité apparaîtra chaque fois.

Nos corps ont commencé par être une cellule dont la multiplication a construit ce corps. Aujourd'hui, grâce à de forts agrandissements, nous pouvons démontrer que sa lumière ne cesse jamais de briller. Elle est transmise d'une cellule à l'autre à mesure que le corps se construit. Peu importe ce que vous en pensez ou ce que vous en dites, le corps fonctionne à cette fréquence vibratoire et ne s'en écarte jamais.

Il y en a des preuves aujourd'hui. L'œil, qui est un des plus importants organes de notre corps, est également ajusté. Les baguettes, les cônes, et la rétine sont coordonnés de telle sorte qu'ils absorbent cette divinité. Dès que nous réalisons cette divinité, notre œil s'y ajuste avec la fréquence de mouvements appropriée. On peut montrer que les personnes qui n'ont jamais affaibli leur vue constatent presque immédiatement ce phénomène en acceptant leur divinité.

La divinité signifie que Dieu est dans toutes les choses et dans toutes les formes. Le Christ signifie le pouvoir de réaliser cette divinité à l'intérieur de soi-même. Nous pouvons donc voir le Christ dans tous les visages et dans toutes les formes. Ce fut l'une des toutes premières affirmations de Jésus. Nous avons trouvé cela dans nos travaux de recherche. « Je vois le Christ dans chaque visage et dans chaque forme. Quand le premier enfant naquit, le Christ naquit. »

Tel est le Christ conquérant, celui qui triomphe, le Maître de tout. Dès que vous dites cela, les gens commencent à rechercher un maître. Or, quand vous cherchez un maître à l'extérieur, vous oubliez tout du maître intérieur. L'humanité a commis sa plus grande erreur en recherchant Dieu à l'extérieur ou en essayant de l'apercevoir. Pourquoi ? Parce que vous cherchez au-dehors ce qui est en vous.

Quand vous dites que vous *êtes* celui-là, vous l'êtes chaque fois. Si vous prononcez le mot « Dieu » une seule fois en vous tenant devant ce fort agrandisseur, votre corps ne reprendra jamais la fréquence vibratoire qu'il avait auparavant, avant de prononcer ce simple mot.

Par ailleurs, nous pouvons montrer que le mot « Dieu » a tant d'influence dans un livre, que ce livre est rendu plus éminent par la présence de ce mot. Nous connaissons trois hommes qui peuvent le prononcer à la fréquence de 186 milliards de vibrations par seconde. Nous leur avons demandé de se rendre sur le parallèle 180, qui est le plus éloigné de Greenwich. Ensuite, à une heure déterminée, nous avons disposé notre instrument pour qu'il enregistre les vibrations qu'ils émettaient. Aussitôt qu'elles nous parvinrent, l'aiguille de l'instrument monta jusqu'au point correspondant. Ensuite, nous prîmes la plus ancienne Bible du Musée d'Histoire Naturelle de Londres et la posâmes sous l'instrument. Puis nous retirâmes progressivement cette Bible en la remplaçant par un livre où le mot Dieu ne figurait pas et l'aiguille de l'instrument revint aussitôt à sa place. Ensuite, nous prîmes un troisième livre dans lequel le mot Dieu figurait seulement trois fois, et l'instrument réagit immédiatement. Un seul mot, « Dieu » était responsable de cette réaction de fréquence. Si le fait se produit pour un objet inanimé, qu'adviendra-t-il à notre forme corporelle lors de l'usage positif et de l'acceptation du mot « Dieu » ?

Lorsque les trois hommes prononcèrent le mot à 186 milliards de vibrations, le tracé réceptif s'étendit sur dix mètres de film. Lorsqu'ils le remplacèrent par le mot Jéhovah, le tracé s'étendit seulement. sur une douzaine de centimètres du même film. Pourquoi ? Dès que vous employez le mot « Dieu » avec compréhension, croyance et connaissance, vous établissez la plus haute vibration connue aujourd'hui.

Cette influence vibratoire assemble de la substance et, aussitôt que vous exprimez vos pensées, cette substance vous appartient. En fait, pour le bon ordre de l'exposé, vous ne pouvez la retenir. Elle appartient désormais à tout le monde, comme toutes les bonnes choses que chacun peut utiliser. Vous établissez cette influence vibratoire, et elle se manifeste ici et maintenant.

Il y a un principe très précis sur lequel nous travaillons aujourd'hui, le principe de la divinité dans toutes choses. Il a été prouvé par les photographies d'événements passés prises par notre caméra. Nous pouvons montrer que chaque tige d'herbe, chaque arbre, chaque arbuste, chaque fleur, chaque graine sont divins. Sans cette divinité, la graine ne pousserait pas et la plante et l'arbre non plus. Nous avons aujourd'hui des photographies précises montrant que le germe de la graine possède un archétype exact de la forme qu'il produira chaque fois. Alors, pourquoi allons-nous partout en disant que nous ne comprenons pas ? Ne serait-il pas plus sage de dire « Je comprends » ? Vous comprenez, et cette compréhension est directement intérieure. Vous êtes le maître de ces choses, et en abandonnant les apparences extérieures, vous devenez intérieurement maître de la chose, acceptant et reconnaissant que vous êtes le maître !

Beaucoup de gens écrivent pour demander s'ils pourraient aller voir les Maîtres ou ce qu'il faudrait faire pour les voir. Dès le moment où vous sortez mentalement de vous-même par la pensée que vous désirez voir un Maître, vous avez perdu de vue le Maître intérieur. Quand vous reconnaissez cela et que vous en êtes bien conscient, vous êtes avec le Maître et avec l'ensemble d'entre eux.

Faites dire à quelqu'un : « Je ne suis pas Dieu », puis arrêtez-vous un moment et supprimez « ne pas ». Ce sont des mots négatifs qui n'ont aucune fréquence vibratoire. En les prononçant, vous leur donnez l'énergie qui les maintient en vie, et quand vous refusez de les prononcer, ils n'ont plus d'énergie propre.

Il existe aujourd'hui une caméra qui peut vous démontrer tout cela. Asseyez-vous devant elle et imaginez un exposé. Ne dites pas un mot, mais pensez-y. Nous vous dirons exactement ce que vous pensez grâce au tracé apparu sur le film. Ensuite nous vous demanderons un exposé contenant un mot négatif, juste pour voir ce qui se passera. Quand vous arriverez au passage négatif, il n'y aura plus de tracé sur le film. Tout simplement, il ne l'enregistre pas.

Cette caméra montre la grande fréquence vibratoire de la forme humaine. Si cette fréquence n'existait pas, nous ne pourrions pas l'obtenir, et si l'on avait recours à l'hypnose, la caméra n'enregistrerait rien.

Nous avons pris quatre ou cinq cents photos des fakirs hindous, et quand on avait recours à l'hypnose, il n'y avait plus rien sur le film. Parmi les images prises, deux ou trois sont spécialement remarquables. Un jour où nous rentrions chez nous aux Indes, un jeune homme se tenait debout juste à l'intérieur de la grille de notre maison. Il avait enterré un pépin d'orange, mis sa petite écharpe par-dessus, et la graine germait. Il enleva l'écharpe, et un oranger se mit à pousser. Au bout de trois quarts d'heure, il y eut apparemment là un arbre, avec ses branches, ses bourgeons, ses fleurs, ses feuilles et ensuite deux oranges mûres. Les possesseurs des douze caméras de notre groupe filmèrent l'opération et je fus moi-même tellement trompé que je me levai et voulus cueillir une orange sur l'arbre, mais l'arbre n'était plus là !

Un des hommes alla développer deux des films, et je maintins le jeune fakir sur place en causant avec lui jusqu'au retour de l'homme détenant les deux films. J'en déroulai un devant le fakir et lui dis : « Qu'en est-il ? vous nous avez trompés, mais vous n'avez pas trompé la caméra. » Il fut très troublé et répondit : « Revenez demain, je vous expliquerai. » Nous nous mîmes d'accord pour nous retrouver là le lendemain matin à onze heures.

Le lendemain, nous étions tous là à l'heure et nous avions échangé nos caméras. Le jeune fakir amena avec lui un homme que nous n'avions jamais rencontré. Il s'avança de son propre gré, planta la graine en terre, tandis que notre groupe prenait continuellement des photographies. L'arbre poussa exactement comme la veille et nous le vîmes tous, mais cette fois nous n'essayâmes pas de nous approcher pour y cueillir des oranges. Nous avions été trop lourdement trompés la veille. Finalement notre Chef nous dit : « Eh bien, à quoi cela sert-il ? Si l'arbre n'est pas là, allons le constater. » Il se leva, cueillit une orange sur l'arbre et la mangea. Chacun de nous en fit autant. L'arbre continue à fournir des oranges à notre domicile des Indes !

Voici ce qui arriva. Le jeune fakir était un élève du vieux gourou qu'il avait amené. Quand nous expliquâmes au gourou ce qui s'était passé la veille, il se mit en colère, renvoya son élève, et dit qu'il ne voulait plus jamais avoir affaire avec lui. Il nous expliqua que les gourous enseignent à leurs chelas les douze méthodes d'influence hypnotique pour leur montrer qu'elles n'ont pas d'existence valable, qu'elles n'accomplissent rien, mais que si nous les abandonnons toutes et nous centrons sur le but, alors tout ce que nous pensons se produit.

Cela se passe grâce à l'art ou à la loi de suggestion que nous avons étudiée aux Indes. Par exemple, nous voyons un homme arriver avec une corde à la main. Un petit groupe de curieux se rassemble autour de lui. Il jette la corde verticalement en l'air et appelle un garçon hors du groupe en lui disant d'y grimper. Le garçon disparaîtra peut-être en arrivant au sommet de la corde et c'est tout ce qui est nécessaire. L'homme à la corde recueille quelques piécettes, assez pour lui permettre de vivre quelques jours. Nous avons photographié ces exhibitions plus de cinq cents fois et la caméra n'enregistra rien sur le film, sauf l'homme qui se tient debout devant le groupe. Tel est le pouvoir de la suggestion. Elle est pratiquée avec tant de précision que vous restez là et que vous y croyez.

Le vieux gourou travaille maintenant avec nous dans toute l'Inde. Nous prenons une graine, nous la plantons dans le sol, nous arrosons la terre mécaniquement, et en sept minutes nous obtenons un pied de maïs avec deux épis pleinement développés. Quand c'est le vieux gourou qui plante la graine de maïs dans le sol, le maïs est debout devant lui avant qu'il ait eu le temps de se lever ! Il ne possède aucun instrument mécanique. Simplement, il *sait*.

Nous avons la meilleure preuve dans le monde que nous sommes nous-mêmes capables de cet accomplissement. Il appartient à tout le monde. Du moment que quelqu'un peut y accomplir ces choses, tout le monde détient le même privilège. Nul n'est choisi, chacun en a la capacité en lui-même. En fait, c'est très simple, et il n'y a nul besoin de leçons. Cela consiste à amener quelqu'un au point où il voit ou se rend compte des avantages à accepter cet état de choses, puis à remercier qu'elles *existent*.

Ce pouvoir est présent ; il opère en tout, dans notre vie quotidienne, et même dans l'argent que nous dépensons. Il n'est pas nécessaire que quelqu'un soit dans le besoin. En fait il n'y a pas de manque. Nous échouons simplement dans notre expression et nous appelons cela manque. Abandonnons maintenant l'idée de « manque » ; il n'y a plus d'échec.

Beaucoup de nos savants médecins contemporains disent que dans l'avenir les hommes vivront cent ans de plus qu'aujourd'hui. L'âge est simplement un état de conscience. Quand les hommes apprendront à abandonner cet état, ils vivront de plus en plus longtemps. Une année ne change rien à notre structure mentale à moins que nous ne disions « un an a passé ». Alors nous parlons immédiatement d'une année de plus, tandis que si nous y pensions comme à une année d'accomplissements et d'aboutissements plus élevés, c'est exactement ce qu'elle serait.

La plus grande chose que nous puissions faire consiste à découvrir la divinité dans chaque visage et dans chaque forme. Notre plus grand privilège est de voir le Christ dans chaque visage, ce qui représente le pouvoir illimité de *connaître* Dieu intérieurement.

Aujourd'hui, nous pouvons retourner en arrière vers

toutes ces choses et les prouver. Nous ne vous demandons pas de les accepter par ouï-dire. Vous pouvez vous les prouver par vous-mêmes en abandonnant les idées de vieillesse, de limitation, et de tous les concepts négatifs, en refusant de les utiliser ou de les accepter dans votre entourage.

L'histoire nous apprend qu'il y a environ 3 000 ans il existait un langage ne comportant aucun mot négatif, et ce langage datait de 200 000 ans.

QUESTIONS ET RÉPONSES

Q : *Le mot « Dieu » prononcé silencieusement a-t-il autant de puissance que s'il était prononcé audiblement ?*
R : Oui. En fait, pour beaucoup de gens, il est plus puissant de penser « Dieu » intérieurement que de prononcer le mot.

Q : *Comment pouvons-nous mobiliser ce grand pouvoir intérieur pour l'exprimer nous-mêmes ?*
R : Simplement en *sachant* que ce pouvoir est vôtre. Vous êtes le Pouvoir Suprême et la Sagesse Suprême. Dès que vous admettez cela, vous dégagez l'énergie qui vous montre que vous êtes libérés de toute limitation.

Q : *Y aura-t-il une grande destruction sur cette planète avant que ne s'instaure la paix universelle ?*
R : La destruction est ce que nous nous imposons, les pensées que nous exprimons. Supposez que nous refusions tous d'employer le mot « destruction », est-ce qu'il y en aurait une ? Nullement.

Q : *Qu'est-ce qui empêche la sagesse des grands Maîtres de se répandre rapidement dans le monde entier ?*
R : Rien d'autre que notre propre faute ne peut l'en empêcher. Dès que nous *acceptons* et *savons* que nous sommes comme Eux et que

nous l'avons toujours été, rien n'empêche cette dissémination. Nul ne peut l'entraver sauf nous-mêmes.

Q : *L'hypnotisme viole-t-il la loi interdisant de subjuguer la pensée humaine ?*

R : On estime en général qu'il est très nuisible de l'utiliser sur la forme humaine ou sur la pensée humaine.

CHAPITRE III

Existe-t-il un Dieu ?

Existe-t-il un Dieu ? On nous pose aujourd'hui cette question plus souvent que toute autre.

Au cours des dernières années, la science a attaché beaucoup d'attention et de réflexion à ce sujet, et elle accomplit un magnifique travail de recherche dans ce domaine. L'effort de recherche a été suggéré par un groupe de savants médecins et a progressé depuis plusieurs années.

Bien entendu, on estime avec une profonde certitude qu'il existe un grand Principe à l'arrière-plan de toutes les expériences. Cela dure depuis si longtemps que sa continuité a été perdue au cours des âges. Nous commençons à comprendre qu'il a toujours existé et existe encore aujourd'hui, et que rien ne peut dissocier ce Principe de l'ordre et de la loi absolue.

La plus grande question que l'humanité ait posée et pose encore aujourd'hui est la suivante : « Existe-t-il un Dieu ? » D'un point de vue orthodoxe, on accepte par la foi qu'il existe un Dieu, une divinité que l'on appelle le Père de l'homme. Dans ce sens, nous parlons pour une grande partie de l'humanité. Cependant celle-ci n'est nullement satisfaite de cette croyance basée uniquement sur la foi. Elle cherche à savoir « si vous avez une preuve irréfutable de l'existence de la Divinité ».

La science a assumé la tâche de faire une enquête sur la question et de trouver une réponse satisfaisante pour la pensée rationnelle.

Les recherches scientifiques du récent passé ont permis de découvrir qu'il existe une Force Universelle que l'on appelle aussi Énergie Universelle. Elle imprègne tout l'univers et remplit l'espace infini. Aujourd'hui, nous découvrons que l'énergie manifestée par ce Principe est plus grande que celle de la bombe atomique. Elle agit à travers tout l'espace, toutes les conditions, et toutes les choses. Elle n'est pas la propriété d'une seule personne ou d'un seul groupe. Elle est tout en tout et appartient à tout le monde. Elle travaille avec tout le monde, que nous le comprenions ou non. Le fait qu'elle soit incomprise n'y change rien. Elle n'est pas cachée dans des livres ou dans des endroits obscurs. Elle est toujours omniprésente, imprégnant toutes choses. Elle est le principe et la substance même qui nous permet de vivre, de nous mouvoir et d'avoir notre existence. A défaut de ce Principe, de cette Divinité en chaque personne, nous ne pourrions pas prendre une photographie du présent groupe, l'expérience l'a prouvé. Ce Divin Principe réside à l'intérieur et imprègne tout, toute méthode de vie et d'expérience. C'est cette influence divine, cette Énergie Divine qui est permanente, éternelle, et imprègne tout. Nous l'avons prouvé par la photographie, car à défaut de cette Énergie Divine, on ne pourrait prendre aucune photographie. Les images enregistrées sur un film sont simplement les vibrations émanant de la personne ou de l'objet que l'on photographie.

Cela prouve l'existence de la divinité à l'intérieur de chaque forme. Si nous recherchons cette Divinité à l'extérieur, nous ne parvenons pas à la trouver, car nous recherchons alors hors de nous ce qui est aussi proche de nous que nos mains et nos pieds, aussi intime que le cœur à l'intérieur de notre corps. Si nous acceptons de nous orienter vers l'intérieur, nous y trouverons la Divinité dans toutes ses phases. Alors, pourquoi perdre notre temps en cherchant Dieu à l'extérieur ?

Il en est de même avec les Maîtres, ou Frères Aînés. Ils sont présents ici dans chaque forme. Ils sont aussi proches de nous que notre cœur. Point n'est besoin d'aller aux Indes ou dans tout autre pays pour rencontrer ces Maîtres. Vous pouvez les voir là où vous êtes. « Quand l'étudiant est prêt, le Maître apparaît. »

Il est bien connu aujourd'hui qu'au cours d'une grande civilisation remontant à un passé très lointain on a bâti un grand « réservoir » des principes, des qualités et attributs de Dieu qui ont été engendrés et manifestés durant d'innombrables éons. Ce réservoir de bonnes choses ne peut être envahi par aucune opération négative quelle qu'elle soit. Ce réservoir de bonne énergie divine et de pureté primordiale est là pour toujours. Dès que nous pensons à ce grand principe vibrant, nous devenons conscients de son existence à l'intérieur de nous. Ce vaste réservoir de bien est prêt, il attend constamment que nous l'utilisions. Il suffit de nous synchroniser avec ses émanations pour nous unifier avec lui.

On a donné à cette énergie le nom de « Dieu », le mot qui est réceptif aux plus hautes influences vibratoires connues aujourd'hui.

Quand nous utilisons ce mot avec sa vraie signification (et il n'a d'influence que si nous le faisons) nous agissons sur toute substance, sur tout principe, sur toute loi, et sur le bon ordre. Alors ce que nous exprimons sous forme adéquate nous appartient déjà. De même que Jésus a dit : « Avant que vous ayez demandé, j'ai répondu, et tandis que vous parlez encore, j'ai entendu. » Pensez-y ! Lorsque nous exprimons la Parole dans un ordre précis et une forme précise, ce que nous avons exprimé nous appartient immédiatement ! Il n'y a plus ni temps ni espace.

Il est bien connu aujourd'hui que la perfection n'aurait jamais pu être créée. Elle a toujours *existé* et elle *est*. Si nous pensons créer la perfection par nos expressions, nous déraillons complètement, parce que la perfection est déjà créée et qu'elle est là, ici et maintenant. Donc, en utilisant les mots justes, les pensées justes, et les actions justes, toute parole se heurte à cette grande influence vibratoire, d'abord la pensée et ensuite le mot exprimé.

Notre Bible dit : « Au commencement était la Parole, et la Parole était avec Dieu, et la Parole était Dieu. »

En apprenant à éliminer tout ce qui est négatif, pensée, sentiment, parole, et action, nous conservons leur énergie dans notre propre forme. Dès que nous prononçons une parole négative, nous dissipons la pure et parfaite énergie de Dieu. Donc, plus nous apprenons à nous discipliner en pensant, sentant, parlant et agissant d'une manière positive et constructive, plus nous engendrons cette puissante énergie pour accomplir nos souhaits et manifester la perfection.

Tous les exposés de Jésus se matérialisaient sur le champ. Dans Son monde, il n'y avait pas de futur, tout était ***maintenant***. Le langage primitif n'avait pas de mot pour futur, pas de mot pour passé. Tous les termes de ce langage s'appliquaient à ici et maintenant. De même aujourd'hui on sait que toute parole prononcée de façon positive et constructive est enregistrée et ne perd jamais son existence.

L'affirmation formelle « Je suis Dieu » est un facteur déterminant pour faire progresser l'humanité. Avec cet idéal, nous progressons.

Chaque individu peut prouver cette affirmation pour lui-même. C'est la personne qui peut exprimer un idéal, et s'y conformer, qui aboutit à l'accomplissement, bien souvent sans avoir conscience de la manière dont il l'a fait.

L'adoration n'est pas une manifestation vaine. Elle est nécessaire pour inciter à un effort en vue de réaliser l'idéal. Cet idéal contenu entièrement dans la pensée doit se traduire dans une forme. La pensée elle-même amène la chose sous une forme visible. Cette vision se projette avec tant de précision qu'elle s'extrait de la source de tout ce qui existe et se consolide dans sa totalité. Une vision clairement présentée la précède.

Il est important de s'en tenir à une seule opération à la fois. Ne permettez jamais à vos pensées d'errer au hasard ou même de projeter une autre forme avant que la précédente soit matérialisée. Après l'achèvement de l'acte, oubliez-en complètement la pensée et orientez-vous vers la prochaine action.

Voici la compréhension précise que Jésus en avait : « Vous êtes des Dieux et des fils du Très-Haut. » Telle était sa pensée au sujet du fait de l'existence humaine. Toujours la plus élevée, toujours la plus noble, toujours la plus pure, toujours la Lumière. Jamais rien qui puisse limiter la Vie et l'énergie. Jamais d'échec, jamais de doute ; toujours la même unité d'intention dirigeant la pensée. Cette vision projetée peut élever l'humanité au-dessus de toute crainte ou d'état discordant de la pensée. Elle peut maintenir constamment l'humanité au niveau des accomplissements supérieurs, allant d'un domaine d'utilité moindre à un plus grand.

Telle est la progression de notre système planétaire. Les soleils de tous les systèmes solaires s'expriment de cette manière. Ils attirent de l'énergie en eux pour pouvoir en répandre davantage au-dehors. Si notre soleil était un grand tas de charbon, il arriverait un jour où il serait consumé. Ce n'est pas le cas, il a existé pendant des centaines de millions d'années. Il attire à lui force, pouvoir, et énergie, et les rend disponibles pour notre planète et pour d'autres. Il faut que les hommes apprennent la même leçon d'échanges d'énergies.

Dès que nous retenons nos forces, la stagnation s'installe. Mais si nous distribuons ce que nous avons, de nouvelles forces arrivent toujours pour remplir l'espace laissé vide par ce que nous avons donné. L'énergie est inépuisable si nous l'employons de la bonne manière et dans la bonne direction. Voilà pourquoi notre corps est rénové. Si cette énergie est hors de nous, elle est aussi en nous.

Si la divinité est à l'extérieur, nous ne pouvons la conserver à l'intérieur. Tout ce que nous avons à accomplir est de devenir un canal pour la force divine. Elle vibre toujours et ne peut être épuisée. C'est l'explication essentielle de l'immortalité humaine. Il y a une immortalité pour chaque pensée, chaque acte, et chaque parole. Il existe une force unifiante à laquelle l'homme ne peut échapper. Ce que l'homme engendre et répand accomplit un fait qui a toujours existé. Tous les êtres ont toujours existé en esprit, sans commencement ni fin.

Les hommes recherchent toujours la nature du commencement. Il est difficile de concevoir une chose sans origine. En ce qui concerne l'homme, le commencement se produisit quand il eut conscience d'une identité séparée. Avant cela, l'homme était esprit, et c'est un sujet sur lequel nous reviendrons.

Le nouveau comportement entre la science et la religion nous permettra d'accomplir les choses qui nous ont été promises. Elles sont déjà là pour ceux qui se sont ouverts pour les recevoir.

Dieu n'a nullement la forme d'un être humain. Dieu est ce Pouvoir Intelligent Suprême qui imprègne chaque forme et chaque atome dans tout l'univers. Quand vous comprenez que ce Pouvoir Intelligent Suprême est pleinement centralisé dans votre forme, vous êtes ce Pouvoir. En reconnaissant pleinement que ce pouvoir agit à travers vous, vous êtes ce Pouvoir. Chaque individu est apte à *être* ce Pouvoir. C'est le Royaume de Dieu dans lequel chacun est né, et dès que tous voient et *savent* cela, tous appartiennent au Royaume de Dieu.

QUESTIONS ET RÉPONSES

Q : *Quelle est la première loi ?*
R : La première loi est Je Suis. Il y a un mot omis et nous commençons à comprendre Dieu Je Suis.

Q : *Je voudrais en savoir davantage sur « JE SUIS » tel que les Maîtres vous l'ont présenté.*
R : « Je Suis » est la seconde expression dans le langage. Il signifie l'acceptation complète que vous êtes Dieu. Dieu Je Suis. Le mot « Dieu » est le premier par sa vibration plus élevée. Ensuite votre acceptation se traduit par « Je Suis ».

Q : *Qu'est-ce que le Saint-Esprit ?*
R : Le Saint-Esprit signifie la totalité de l'esprit, Je Suis agissant complètement dans toutes les formes.

Q : *Comment peut-on manifester le Christ ?*
R : Il faut que le Christ naisse en chacun de nous. Jésus nous en a donné l'exemple. Vous manifestez ce qui est en vous en y prêtant attention et en vous concentrant. Le Christ est à l'intérieur de vous.

Q : *Si les Maîtres dont vous parlez sont capables de quitter leur corps, comment se fait-il que si peu de gens en soient informés ?*

R : Parce que les gens ne le croient pas ! Les Maîtres ne quittent pas leur corps. C'est une expression employée pour aider à comprendre. Ils emportent leur corps avec eux.

Q : *Avez-vous jamais pris contact avec Saint-Germain ?*

R : Nous avons entendu parler de Saint-Germain et nous connaissons sa vie, qui fut remarquable. Nul ne sait s'il a jamais passé par la mort. Mon frère adoptif et moi avons eu une expérience intéressante à ce sujet. Mon frère avait été embauché dans un grand projet gouvernemental de Génie Civil aux États-Unis. Après qu'il l'eut quitté, on lui télégraphia de se rendre à Paris. Un groupe d'ingénieurs-conseils avait la charge d'établir des plans pour drainer un marécage proche de la Ville de Paris en vue d'en faire un terrain fertile destiné à des jardins. Tandis qu'ils opéraient dans ce sens, la Seine commença à inonder le terrain où se trouvait la tombe de Saint-Germain, et ils comprirent qu'ils allaient être obligés de la déplacer. Mon frère me télégraphia pour me suggérer de venir, car on allait probablement ouvrir le cercueil, ce qui permettrait de voir son contenu. Je me rendis donc sur place. On ouvrit le cercueil et l'on n'y trouva que le tibia d'un chien ! Pensez maintenant aux milliers de guérisons qui eurent lieu à cet endroit. Les intéressés concentraient toutes leurs pensées sur les accomplissements de Saint-Germain ; ils perdaient toute trace d'infirmités, et une perfection complète avait lieu. Il en va de même aujourd'hui avec presque toutes les tombes réputées.

Q : *Quand nous désirons quelque chose qui nous appartient par droit divin, est-il juste de l'exiger ?*

R : Si quelque chose vous appartient par droit divin, point n'est besoin de l'exiger. Le fait que nous acceptions des illusions annule le bien que nous désirons. Lorsque vous exprimez votre divine nature intérieure, vous trouvez à portée de la main tout ce que vous souhaitez utiliser. La réalisation de ce fait vous permet de savoir que le bien est accompli avant que vous n'en exprimiez la pensée. Le besoin n'a pas à naître.

CHAPITRE IV

La vie éternelle

Partant d'une amibe déterminée, l'Image Divine ne change jamais. Elle domine la forme idéale et parfaite et transmet cette forme parfaite sans changement à chaque cellule nouvelle de la forme entière. Donc chaque cellule des corps de toute la race humaine *détient* la perfection car elle *est* l'image parfaite de l'Intelligence Suprême. Nous avons ainsi la preuve irréfutable que l'homme ou l'humanité est l'intelligence divine et suprême qui est Dieu, le Christ Triomphant, le Dieu-homme, le résultat de l'Union complète de la Trinité. En vérité, chaque graine contient l'image exacte de ce qu'elle produira.

Maintenant asseyons-nous tranquillement et regardons directement cette amibe déterminée. Elle est capable de se reproduire, de transmettre, et d'implanter infailliblement son image parfaite dans chacune des cellules qui, par leur multiplication, produisent non seulement la forme humaine, mais aussi chaque arbre, chaque tige d'herbe, chaque fleur, chaque cristal, chaque roche, aussi bien que chaque grain de sable. En fait, on peut classifier sans hésitation chaque structure rocheuse par l'examen approfondi des cristaux. Il en va de même pour chaque grain de sable et pour tous les minéraux. Cette cristallisation est la base qui nous permet de connaître leurs relations avec l'ensemble, ainsi que leurs propres relations et leur valeur économique pour l'humanité.

Revenons-en aux forts agrandissements et à la photographie rapide dont l'étude se poursuit. Nous découvrons qu'en photographiant avec fort agrandissement sa cellule germinative la plus petite graine renferme la forme exacte de ce qu'elle produira infailliblement. Elle émet aussi une longueur d'onde ou fréquence vibratoire qui l'accompagne dans tout son cycle de productivité. Par sa fréquence vibratoire, elle attire vers elle l'énergie qui lui est nécessaire pour se développer jusqu'à maturité. Cette fréquence vibratoire est la divine essence de vie qui accumule ou attire vers elle la substance. Non seulement elle donne la vie à l'arbre, à la fleur et à toute la vie végétale, ainsi qu'à tous les minéraux et substances métalliques, mais elle est la vie même de cette substance.

Maintenant nous avons le droit de dire que toute substance exprime la vie à travers elle. Ce divin plan de perfection reste inchangé à moins que les hommes ne l'élèvent ou ne l'abaissent par leur pensée. On constate aussi que l'homme est capable d'influencer ces émanations de perfection vers une productivité plus vaste et plus grande en apportant des pensées de productivité de plus en plus abondante et une perfection plus grande.

Revenons encore une fois à l'amibe, ou première cellule. Bien que cette cellule soit entièrement différente de celle des végétaux et des minéraux, son taux de vibration est beaucoup plus élevé et ne peut se comparer avec celui des cellules minérales ou animales. Elle est la force qui attire son énergie ou sa substance vers elle-même, ce qui cause sa croissance en de nouvelles cellules qui construisent finalement une forme humaine. Cette transmission à chaque cellule a créé la première forme parfaite et immuable de divinité. On voit donc avec précision que si l'humanité coopère et n'interfère d'aucune façon, par la pensée ou l'expression, avec l'idéal de la divinité, la forme humaine est idéalement parfaite. Alors nous pouvons dire qu'elle est le corps de Dieu, pur et parfait.

Regardons cette énergie divine et ce principe intelligent émanant de la cellule unique ou amibe. Son propre principe de haute fréquence vibratoire attire de l'énergie en elle-même. Elle commence alors à se diviser et à se multiplier jusqu'à devenir un grand point focal, ou forme, d'où elle peut produire et diriger toutes les formes et construire d'autres formes à sa propre image. L'humanité n'a jamais dévié de ce parfait modèle. La photographie montre que non seulement ces modèles entourent toutes les formes, mais que de nouvelles formes parfaites commencent à apparaître.

Là où les savants manquent de preuves, nous sommes allés de l'avant jusqu'à la *connaissance* complète du fait que nous sommes cette émanation de haute fréquence. Asseyez-vous tranquillement quelques instants en ayant dans votre pensée les déclarations suivantes : « Je suis Dieu, comme tout le monde », « Dieu Je Suis l'Intelligence Divine ». Puis sachez et admettez pour vous-même, sans aucune espèce de doute : « Je Suis le Principe Divin, Je Suis l'Amour Divin qui s'écoule à travers moi vers le monde entier. » Ensuite considérez-vous vous-même comme étant Dieu, et aussi toutes les personnes que vous rencontrez ou voyez comme étant Dieu. Vous verrez alors ce qui s'accomplit dans la zone submicroscopique de la vie, une goutte presque invisible de protoplasme transparent, semblable à une gelée, capable de bouger, attirant de l'énergie solaire. Elle est déjà capable d'utiliser la lumière du soleil pour décomposer le gaz carbonique de l'atmosphère. Elle en sépare les atomes, capte l'hydrogène de l'eau et produit des hydrates de carbone. Elle fabrique ainsi sa propre nourriture à partir d'un des composés chimiques les plus stables du monde.

Cette unique cellule, cette gouttelette transparente détient en elle-même le germe de toute la vie. Non seulement elle détient ce germe, mais aussi le pouvoir de distribuer la vie à toutes les choses vivantes, grandes et petites, et d'adapter chaque créature à son entourage partout où la vie existe, depuis le fond des océans jusqu'à la voûte céleste. Le temps et l'entourage ont modulé la forme de toutes les choses vivantes pour les adapter à la variété infinie de toutes les conjonctures. A mesure que ces choses vivantes développent leurs individualités, elles sacrifient une partie de leur flexibilité au changement. Elles se spécialisent, se stabilisent, perdent le pouvoir de rétrograder, mais gagnent une plus grande et meilleure adaptation aux conditions existantes.

Le pouvoir de cette gouttelette de protoplasme et de son contenu est supérieur à celui de la végétation qui habille la terre de verdure, supérieur à celui de tous les animaux qui inhalent le souffle de vie, car toute la vie provient d'elle, et sans elle aucune chose vivante n'aurait existé ou n'aurait pu exister.

Vous découvrirez peu à peu que tout ceci est une Vérité absolue. L'humanité saura, comme nous le savons, que l'homme est, dans un certain sens, la source universelle de cette vie. L'homme est maître dans le royaume des animaux, aussi bien que dans celui des végétaux et des minéraux. Il est complètement doté de l'Intelligence Suprême, en réalité l'âme de toute chose. Il est seulement devenu honteusement inconscient de ce véritable héritage Divin en y substituant sa propre structure mentale dégradée. Au point où nous en sommes, il est bon de s'arrêter et d'abandonner, d'oublier, et d'exclure cette structure mentale avilie, et de la remplacer par une structure valable digne de l'homme, l'Intelligence Suprême et le maître de toutes choses, Dieu et l'homme ne faisant qu'un.

Une amibe est une microscopique cellule vivante composée d'un nombre incroyable de millions d'atomes disposés en bon ordre. La dimension n'est rien pour l'Infini. L'atome est aussi parfait que le système solaire. Cette cellule se divise et en forme deux. Les deux se divisent et en forment quatre, et ainsi de suite indéfiniment. Le processus a lieu pour toutes les cellules dans toute créature vivante. Chaque cellule possède en elle-même le pouvoir de créer un individu complet. Les cellules elles-mêmes sont immortelles. Elles forment les cellules de toutes les créatures, animaux et végétaux d'aujourd'hui, et sont des reproductions exactes de leurs aïeules. De même que tous les hommes, nous sommes des reproductions de milliards et de milliards de cellules semblables, chaque cellule étant un citoyen accomplissant intelligemment sa pleine mesure de service dévoué. Cette cellule individuelle possède aussi le pouvoir de dissocier des composants chimiques et de fabriquer sa propre nourriture ainsi que le surplus nécessaire pour sa cellule sœur. Vous constaterez que cette division est absolument fondamentale en tant qu'élément essentiel de la vie elle-même. Peut-on continuer à nier que l'homme est immortel ici-bas, alors qu'il y a tant de preuves quc la divinité comporte l'immortalité ?

Toutes les choses vivantes sont issues d'une cellule unique qui oblige toutes ses dérivées à accomplir le service et à suivre sans dévier le modèle de la créature que la cellule originelle doit reproduire, que ce soit un homme, une tortue, ou un lapin. Ces cellules ont une intelligence distincte, un instinct aussi bien qu'un pouvoir de raisonnement ; il est bien connu qu'après division une partie de ces cellules sont forcées de changer entièrement de nature pour s'adapter aux exigences de l'être dont elles font partie. Pourquoi ? Parce que le plan est ordonné et inapte au changement. C'est pourquoi l'homme est divin, parfait, et invincible. Peu importe la structure mentale qu'il développe, ce plan est absolument dominant et immuable. C'est aussi la véritable raison pour laquelle l'homme est capable et largement apte à atteindre les sommets. Au cas où il n'y parviendrait pas avec ses connaissances immédiates, il lui suffirait d'échanger la structure mentale qui l'a entouré précédemment pour la vraie structure mentale qui est fermement établie dans sa propre pensée et dont il a toujours l'instinct inhérent. Il bâtira ensuite une structure mentale dominante qui lui permettra d'atteindre le concept le plus élevé auquel les pensées peuvent aspirer. La manière la plus facile et la plus efficace d'atteindre ce but supérieur est d'abandonner la structure de pensée qui l'a attaché à la roue de la répétition et de faire agir immédiatement les éléments qui construiront une structure de pensée invincible qui ne manquera jamais de l'élever au plus haut.

La première suggestion consiste à placer dans sa pensée l'idéal et le mot « Dieu » en sachant positivement que c'est de Lui que provient et aboutit tout succès.

Ensuite, ajustez cette idée de succès avec la pensée *« Dieu Je Suis Succès »*.

Ensuite, vient la pensée suivante : *« Dieu, Je Suis entièrement capable de réussir dans tout effort que je projette sincèrement. »*

Affirmation suivante : *« Dieu Je Suis la connaissance exacte qui accompagne l'aptitude à réussir. »*

Affirmation suivante : *« Dieu Je Suis l'amour infini qui attire à moi toute la substance qui cause mon succès. »*

Sachant aussi que l'amour est le plus grand pouvoir unifiant dans l'univers, votre prochaine affirmation sera : *« Dieu Je Suis l'intelligence qui guide tous mes succès dans des voies justes et profitables. »*

Viendra ensuite : *« Dieu Je Suis la divine connaissance et la sagesse qui apportent la perfection à toutes mes réussites. »*

Et enfin : *« Dieu Je Suis la parfaite Trinité, le Christ Triomphant*, le Dieu-homme, l'unique point focal de toute la création. »

Nous nous occupons donc de cellules divines qui ne subissent jamais de pertes et ne changent en aucune façon. L'homme ne peut donc pas se dissocier de la Divinité. Son cerveau est constitué de ces cellules divines, et c'est la vraie raison pour laquelle sa faculté de penser ne change jamais. Ses pensées peuvent changer mille fois par minute, car elles ne sont que des réflexes de son subconscient. C'est là que l'homme possède son libre arbitre, car il peut inciter son subconscient à croire et à enregistrer toute pensée émise, ou ses propres perceptions, ou les dires d'autrui. Le subconscient ne fait pas partie du cerveau lui-même, mais il est un ganglion de vraies cellules situées juste au-dessous du centre cardiaque. Elles acceptent et engrangent tout ce qui a été pensé ou exprimé, et n'ont pas de faculté discriminatoire. Elles répètent ce qu'elles ont enregistré, et l'homme ne tarde pas à croire ce qui est répété comme vérité. Il ne tarde pas à devenir incapable de séparer la vérité de la fausseté. Toutefois il est possible d'influencer ce groupe de cellules pour lui faire abandonner toutes les affirmations erronées et accepter et enregistrer des exposés véridiques et absolus. Il suffit de leur parler directement. Suggérez-leur d'abandonner tous les exposés inexacts et toutes les idées négatives, et vous vous rendrez bientôt compte que seuls les exposés véridiques et constructifs sont enregistrés dans votre monde qui alors se reflétera vers vous et à travers vous. Viendra ensuite le sentiment d'une grande sérénité. Ces cellules n'ont aucune possibilité de discriminer, sauf si on la leur a enseignée. Vous verrez qu'elles sont très dociles et fort bien disposées à être conduites ou influencées par la vérité. Beaucoup de gens paraissent actuellement réagir vivement à cette application de la vérité.

Des centaines de milliards de cellules sont poussées à faire la chose juste au moment approprié et au bon endroit. Elles obéissent vraiment en tous temps pourvu que l'individu soit sincère.

La vie humaine incite à bâtir, réparer, étendre et à créer des nouveautés et des améliorations avec un besoin irrésistible et une énergie qui n'est ni comprise ni trouvée dans les choses inanimées. Dans chaque cellule de la forme humaine un instinct intelligent et une influence directrice sont répandus. Peu importe la mesure dont elles paraissent s'être écartées de cette Influence Directrice divine. Nous avons le privilège de les voir dans cette influence sans accorder le moindre intérêt à l'extérieur ou à ce qui les maintient dans le charme hypnotique. Combien nous sommes privilégiés de voir que les cellules sous hypnose sont réellement dotées de la structure cellulaire infiniment complexe que l'on appelle le cerveau humain. Ce même cerveau est capable d'élever l'homme et toute l'humanité aux aboutissements suprêmes. Combien est divin le privilège de voir toute l'humanité intégrée dans la grande structure de la Pensée de Dieu.

Essayez d'incorporer l'idée suivante : « Je proviens de la noble Pensée de Dieu. » Voyez-la ouvrir les fenêtres du ciel, et répandre une bénédiction si grande qu'elle remplit complètement tout mode d'expression. Tous ceux qui sont fidèles ont besoin de dire : « *Dieu Je Suis le principe connaisseur* de toutes choses. » Cela ouvre les yeux à l'abondance universelle qui ne fait jamais défaut. Essayez cette idée en sachant positivement que vous devez réussir. Comme jadis le fit Elie, tendez la coupe jusqu'à ce qu'elle soit remplie à déborder. Ne doutez jamais de la capacité de la Pensée Unique. Elle est toujours prête à produire ces merveilles quand l'humanité s'aligne avec la Pensée de Dieu.

On a retracé l'histoire de l'humanité depuis un million d'années avec suffisamment de preuves pour satisfaire les savants, mais notons que cette période ne constitue qu'un minimum. L'histoire humaine remonte à une antiquité qui dépasse de loin notre faculté de compréhension. Vous pouvez constater sans hésitation que vous êtes capable d'étendre votre vision en y incluant la Pensée de Dieu ou la Pensée Unique, et d'établir alors un arrière-plan ou une base restée valable pour l'homme et la Pensée Divine. Vous verrez aussi combien volontiers vous attachez votre pensée à la Pensée Divine en déclarant « Dieu Je Suis la Pensée Divine », puis en sachant avec certitude que votre exposé est vrai et en plein accord avec La Loi et le Principe Divins.

De cette manière, vous vous rendez pleinement

compte que le ciel est tout autour de vous. Le moment est donc propice pour savoir que tous les hommes sont libres d'accomplir la même chose que vous. La matière n'a jamais été conçue avant que la pensée l'ait établie comme une réalité. Rappelez-vous que la matière ne sourit jamais. Elle n'a pas non plus le pouvoir ou l'énergie de se dompter elle-même. Elle est également dépourvue d'instinct et de volition propre. Elle est étrangère à toutes les autres substances.

Les oiseaux voient la destination de leur migration ; ils n'ont donc pas besoin d'instruments pour les guider. Ces instruments sont inclus dans leurs petites cellules cérébrales. Le même instrument peut vous guider beaucoup mieux, car il est directement contenu dans vos cellules cérébrales. L'homme le contrôle directement dès qu'il se sait pleinement contrôleur de son activité mentale. L'oiseau, bien qu'il survole des milliers de kilomètres d'océans, ne perd jamais sa direction.

L'homme possède cette même nature de vision, mais il a perdu l'aptitude à s'en servir en l'éliminant de sa structure mentale. Rien de la Pensée Divine n'est jamais perdu. C'est pourquoi elle appartient à l'homme, car l'homme est aussi divin que la pensée. Il ne déviera donc jamais de la vérité et ne perdra jamais la possibilité d'accomplir toutes choses quand il s'unira de nouveau avec la Pensée Divine.

L'animal n'a jamais perdu son instinct ni son intuition pour la bonne raison qu'il est incapable de construire une structure mentale antagoniste. Quand un chien est lancé sur la trace d'un homme ou d'un animal, il est incapable de penser « Puis-je faire cela ? » En conséquence, il avance et suit la trace jusqu'à ce que quelque chose arrive qui élimine l'odeur ou que le but soit atteint.

L'homme a bien plus de capacités que les animaux terrestres ou les oiseaux, et se permet cependant de sombrer plus bas que l'animal.

En percevant clairement sa structure pleinement équipée, et le fait qu'il est entièrement inclus en Dieu et dans la Pensée Divine, l'homme est *promptement capable de se déplacer d'un endroit à un autre avec une vitesse illimitée*. Son cerveau est désormais pleinement équipé de la Vraie Pensée, et en coopérant avec elle comme clairvoyant et omniscient, il s'élève instantanément et parfaitement à toute hauteur. Il n'y a pas de déviation, le chemin est clair, l'évidence est révélée avec certitude et sécurité.

Vous pouvez étendre la main et sentir Dieu. Posez votre main sur votre propre corps. Vous sentirez et vous verrez Dieu. Vous avez pu croiser cent ou mille personnes en allant un jour à vos affaires. Alors vous avez vu Dieu cent ou mille fois. Cela peut se renouveler tous les jours. Conservez Dieu proche de vous en considérant toute forme comme Dieu. Alors Dieu sera si proche de vous que vous ne le situerez plus jamais dans un lointain royaume céleste ou dans un temple, et vous découvrirez le temple non bâti à la main. Vous découvrirez aussi que votre corps est le premier et le plus grand temple jamais bâti, et qu'il est le seul temple où Dieu réside. Alors apercevez le Christ Triomphant et le Dieu-homme à l'intérieur de ce temple. C'est la vraie vie qui entretient votre corps. Enlevez Dieu, ou séparez l'un de l'autre, et votre corps mourra.

Les hommes ont bâti tous les grands temples qui existent ou ont existé sur la Terre, mais ils n'ont jamais bâti le grand temple du corps humain. Ce dernier n'est pas seulement le plus grand laboratoire jamais construit, mais il a aussi le pouvoir de se reproduire.

L'homme a souillé au maximum ce temple corporel, allant jusqu'au point où il était obligé de le coucher dans ce qu'on appelle la mort. Cependant il se relève triomphant.

Soumis à des limitations, l'homme est incapable de construire un œil humain ; mais s'il rejette toutes les limitations, il est capable de construire et de restaurer un œil ou une partie quelconque du corps humain et même de triompher de la mort.

Il existe une intelligence et un principe divins, mais ils n'ont jamais été établis par un être unique ou par un homme seul. Ils l'ont été par une grande civilisation de centaines de millions de personnes. Cette pensée a été établie avec tant de dynamisme qu'elle a saturé chaque atome de l'univers tout entier et chaque atome du corps humain, avec une influence directrice sur toutes choses. Elle a aussi été établie avec une telle puissance qu'elle est devenue une force directrice de l'activité mentale où rien ne change. Elle a donc imprimé sa puissance sur chaque cellule du corps humain. La lumière qui dénote la présence de cette intelligence a été concentrée sur la première cellule avec une telle puissance que la divinité a été transmise de génération en génération pendant des milliards d'années sans changer l'Image Divine réelle de chaque unité humaine. Cela va se poursuivre sans changement pendant cent milliards d'années, car cette intelligence est établie comme une Loi, et toute loi établie dans le cosmos est immuable.

La loi devrait être le Seigneur, car il n'y a qu'une seule loi, un Seigneur pour toute activité mentale confirmée, l'homme est le Seigneur qui contrôle totalement la loi divine.

Cette grande action se traduisit par des millions d'années de paix et de satisfaction complète. Chacun était le triomphant Christ-Roi de son propre domaine, et cependant un aide et un travailleur volontaire, sans penser à lui-même et à des intentions égoïstes concernant le bien commun. On trouvait toutes les choses en abondance et chacun pouvait s'en servir.

Ensuite des groupes proclamant le libre arbitre dans la pensée et l'action commencèrent à se concentrer sur eux-mêmes. Ils aspiraient à un changement, ils voulaient connaître le monde matériel et penser égoïstement plutôt qu'en faveur du groupe entier. Un grand nombre d'hommes se retirèrent alors de la maisonnée principale, qu'on appelait alors de ce nom. Les groupes de dissidents finirent par s'associer et à croître au point que leurs pensées devinrent chaotiques. Les éléments naturels finirent par suivre et il se produisit à l'intérieur du soleil une grande éruption qui dura au moins un million d'années.

Les planètes et les étoiles de notre univers solaire sont apparues à des intervalles divers. Cependant, avant cette période de chaos, l'humanité avait déjà établi, dans une action mentale précise, un équilibre divin tel que le chaos est devenu un ordre si divinement exact et parfait qu'à tout moment on peut déterminer mathématiquement à une seconde près la place que n'importe quelle étoile ou planète occupera à un moment donné. Cet équilibre est tellement parfait qu'il n'a pas subi de variation depuis un milliard d'années. Cela représente certainement l'éternité. On peut ainsi reconnaître sans hésitation la loi parfaite, ou le Seigneur en action. Cette loi a été établie au cours d'une grande civilisation de la famille humaine et grâce à la volonté unie du peuple de comprendre tout parfaitement, grâce à la civilisation.

On donna le nom de DIEU à cette compréhension divine. On savait parfaitement que ce nom pouvait être prononcé avec le maximum de fréquence vibratoire, car il était placé en tête de tous les langages. Au début, il ne représentait aucunement une forme humaine, mais un grand Principe Divin établi par la race humaine tout entière. Cette race vivait au ciel, car le ciel était pour elle, et reste toujours, le Principe Divin et l'harmonie dans la forme humaine, harmonie qui est la pensée que l'on appelle Dieu. A partir de ce mot, et en connaissant son origine divine et ses préceptes, toutes les conditions divines atteignent l'humanité. Cette loi divine, juste et parfaite (le Seigneur) régit l'univers entier. Vous la voyez actuellement opérer dans tout le système solaire, mais nous savons qu'elle est tout aussi effective dans l'ensemble du royaume humain et dans les règnes animal, végétal, et minéral.

Durant les troubles du chaos, presque tous les humains qui s'étaient dissociés du groupe principal furent détruits. Le reste de ces dissidents fut obligé de chercher abri dans des cavernes ou dans tout site susceptible de les protéger. La nourriture devint rare et son insuffisance si grave qu'un fort pourcentage de ces dissidents devinrent cannibales. Ces conditions, qu'ils avaient attirées sur eux-mêmes, non seulement les séparèrent du groupe principal mais les divisèrent entre eux. Elles les obligèrent à former des tribus pour subsister, ce qui leur fit oublier tout leur savoir antérieur ; ils devinrent des nomades.

Ce sont eux qui furent les ancêtres de la race que l'on appelle « matérielle ». Bien que cette séparation ait duré depuis plus d'un million d'années, il y subsiste ce que l'on pourrait appeler un demi-instinct grâce auquel les hommes sentent qu'ils ont fait partie du plan divin. Beaucoup d'entre eux se présentent aujourd'hui sans crainte en proclamant librement leur qualité de Seigneur, et certains parmi eux ont progressé jusqu'au point où ils sont entièrement dégagés de toute servitude.

Ceux qui sont restés attachés au groupe principal ont traversé tous ces changements chaotiques dans une paix et un calme parfaits sans rien perdre de leur divinité, car ils savaient que la divinité ne peut jamais être perdue ni vous être enlevée. Pour tous ces avantages, ils ne prétendaient à aucune sélectivité ni à aucun pouvoir supérieur à ceux dont tout le monde peut se servir.

Durant la période où cette grande civilisation a régné sur la Terre, les vastes étendues territoriales ainsi que les mers étaient paisibles. Il n'y avait pas de troubles terrestres ou maritimes. Les vents étaient doux et fortifiants. Tous les gens voyageaient et allaient où ils voulaient, car il n'y avait ni poids ni fardeaux, et pas de limites temporelles ou spatiales. Ils pensaient en termes d'éternité. Toutes les pensées et paroles étaient exprimées comme des préceptes divins et avec une intention tellement précise qu'ils étaient solidement établis et finalement enregistrés comme préceptes dans la pensée divine. Ils furent la base et les remparts d'un grand réservoir dans lequel on pouvait puiser pour toute fourniture, toute action, et toute entreprise. L'homme avait ainsi à portée de la main des ressources universelles pour toute entreprise et tout accomplissement. On considérait l'ensemble de l'humanité comme Dieu-homme. La Trinité, l'accomplissement, le point focal était Dieu, le Christ Triomphant, Dieu-homme, la Trinité complète chez tous.

Dans leur langage, il n'y avait aucun mot négatif, ni un mot pour le passé ou le futur. Tout était « ici et maintenant », complètement accompli et achevé. Tous les buts que l'humanité d'aujourd'hui cherche à atteindre pour revenir à cet état supérieur l'ont été par cette soi-disant civilisation avancée qui les a enregistrés sous forme d'archives. Celles-ci seront accessibles à l'humanité dès qu'elle portera ses regards au delà du présent âge et de son bouillonnement de préceptes contradictoires et d'accomplissements individuels. Tous ces accomplissements sont perfectionnés et pleinement enregistrés avec précision dans le grand magasin de la substance de la pensée universelle. Ils peuvent être remis en vigueur par l'humanité dès que celle-ci fera taire les clameurs de ceux qui, par leur propre libre arbitre, ont forgé la calamité. Le plus grand espoir s'attache à la prochaine génération. Il est bien évident que la jeunesse est du meilleur aloi dans les domaines physiques, mentaux, et industriels. Tout ce qui lui manque est la courtoisie et un jugement tempéré par l'expérience. Ces qualités conféreront la maturité. Le plus grand substitut et guide est l'habitude, car une habitude, qu'elle soit bonne ou mauvaise, est aussi facile à acquérir que difficile à perdre.

Les survivants de cette grande civilisation dont tous les membres avaient été expatriés par ces grands troubles chaotiques avaient un système mental bien organisé. Les préceptes y étaient si soigneusement conçus et si exactement enregistrés dans la substance de la pensée universelle que rien ne pouvait être perdu. Il est bien connu que toute parole positive émise avec une vraie signification et une intention précise est si pleinement et intelligemment enregistrée dans la substance de la Pensée Divine (que nous appelons Pensée de Dieu), y compris toute action et tonalité, que l'on peut la retrouver et aussi en faire des reproductions photographiques permettant à tout le monde de voir et d'entendre tout ce qui s'est passé.

Il est bien connu aussi que certains membres de cette grande civilisation ont survécu et préservé leur identité. Bien qu'ils se soient plus ou moins séparés de leurs contemporains, ils attendent le moment, qui n'est pas trop lointain, où ils pourront resurgir et proclamer leur identité. Ce moment arrivera quand un nombre suffisant d'humains auront abandonné leurs idées préconçues d'un Dieu personnel, d'un grand être extérieur à eux, et accepté la Trinité, Dieu, le Christ Triomphant, Dieu-homme en chacun, susceptible d'être proclamé par toute l'humanité et à travers elle.

Ces archives ne peuvent en aucune manière être modifiées ou déformées, même par ce qu'on appelle le temps. Elles ne représentent ni des miracles ni des expériences supra-humaines, mais des événements naturels et ordonnés. En fait, elles dépendent de la même loi ordonnée qui gouverne et régit tous les systèmes planétaires de l'univers. La merveille est que cette loi et ses influences décrivent plus vivement que toute parole la grandeur de l'aptitude humaine à aboutir. La grande beauté et la pureté de tout cela vient de ce que cette race n'était aucunement dominatrice ou surnaturelle, mais semblable à ce que vous et moi nous sommes aujourd'hui, même apparence et même Dieu unique. Donc, adorons ensemble ce grand et noble Dieu-homme en recherchant d'abord Dieu en tous, puis en voyant le Christ Triomphant dans chaque visage, et les unissant tous en Dieu-homme. Sachons que toute image de Dieu établie hors de l'homme n'est qu'une idole aux pieds d'argile facilement brisée par la parole exprimée. Avec cela, vous pouvez habiller toutes les sciences et toutes les religions avec le même vêtement provenant de la source unique, car tout est une seule vérité. La vérité est la loi de toute science. En pensant à la divinité, l'homme établit la divinité en lui-même et ajoute quelque chose au grand réservoir cosmique d'énergie et de force, cette force qui devient une grande puissance en elle-même. Vous êtes capables d'établir une telle force et de lui fournir un degré plus élevé d'activité. Des millions d'hommes accroissent constamment cette force, et vous pouvez vous unir à eux si vous le voulez.

QUESTIONS ET RÉPONSES

Q : *D'où viennent les idées inspirantes ?*

R : Le monde des idées nous entoure complètement. Parmi les diverses conceptions sur la signification des idées inspirantes, vous pouvez en avoir une. La plupart d'entre elles sont des expressions émotionnelles qui n'ont guère d'autre signification que celle d'un sentiment profond. D'autres sont des éclairs de clairvoyance permettant d'agir en cas d'urgence. Peut-être le questionneur a-t-il dans son esprit la profondeur de pensée obtenue par des philosophes et des saints grâce à leur discipline. Il s'agit alors de la véritable respiration consciente dans l'esprit de la sagesse universelle qui imprègne tout l'espace.

Q : *Comment obtenir des idées inspirantes ?*

R : En un sens nous les engendrons en nous-mêmes en disciplinant nos corps pour qu'ils servent de chenaux récepteurs aux courants de la pensée universelle et transforment la force unique de manière à interpréter les lois universelles exprimées dans la diversité des phénomènes.

Q : *Pourquoi nos idées semblent-elles provenir de sources extérieures ?*

R : A notre stade actuel de développement,

nous ne sommes pas prêts à reconnaître la source de toutes les forces qui s'activent en nous. La vie est une forme universelle que nous reconnaissons dans tous les tissus vivants, mais nous ne savons ni d'où elle vient ni où elle va quand elle quitte le corps. Nous utilisons quotidiennement l'électricité, nous savons que l'on peut la produire, mais nous ne savons pas d'où elle vient. La description de la pensée comme une force exprimée en idées qui sont engendrées est peut-être un peu moins tangible, mais l'analogie est évidente. Nous pensons, mais la source de l'énergie est cachée. Cependant, nous savons que nous pouvons accroître la capacité et l'efficacité de notre pensée. Est-il alors surprenant que le penseur moyen soit dans la confusion quand on lui dit que les pensées viennent de l'intérieur ? Il lui paraît certain qu'elles doivent venir de l'extérieur. Il en va de même pour l'électricité et la vie. Si vous préparez certains dispositifs, la vie et la puissance électromotrice sont à votre disposition. Tout aussi certainement, si vous préparez votre pensée, les idées inspirantes seront engendrées en vous.

Q : *Quelle est votre position devant les bouleversantes conditions sociales actuelles ?*

R : Je ne leur attribue aucune énergie. Si nous retirions l'énergie que nous consacrons à penser à des conditions bouleversantes et si au lieu de cela nous bâtissions nos propres conditions personnelles, nous pourrions redresser immédiatement toutes les situations.

CHAPITRE V
Le modèle divin

Je vais aborder le sujet de ce qu'une seule personne peut accomplir et a accompli selon le modèle divin. Sous ce rapport, nos expériences ont été considérables à l'époque de nos expéditions au Tibet, en Inde, et aussi en Mongolie. Nous y avons observé qu'une seule personne était non seulement capable de se protéger elle-même, mais aussi une race tout entière.

Cela peut paraître une entreprise prodigieuse, mais si nous nous remémorons la vie de Jésus, si nous comparons ce qu'Il a fait pour l'humanité et ce qu'Il fait aujourd'hui, nous sommes mieux à même de comprendre et d'accepter cela. Ses enseignements n'ont jamais cessé depuis deux mille ans. Ils se sont poursuivis et restent tout aussi vitaux que jadis.

J'ai parlé des Maîtres qui se tenaient debout sur l'eau et des deux étudiants qui s'approchèrent d'eux de la même manière. Cette action comporte une grande leçon. Elle montre comment nous pouvons contrôler et utiliser des forces naturelles et en profiter, pas nécessairement en marchant sur l'eau, mais quand nous voyons que nous allons sombrer et que nous nous installons dans l'état subjectif, nous pouvons utiliser cette puissance pour aider complètement notre corps. Dans cet état, nous devenons exécutants et non sujets à changement. Le changement ne concerne que l'objet. Le sujet ne change pas. L'esprit n'est jamais altéré d'aucune manière. Le principe de base subsiste.

Maintenant si nous prenons toujours en considération ce Principe de Base, nous devenons ce Principe. On pourrait croire qu'il nous conduit à une position statique. Comment le pourrait-il ? C'est dans cette attitude que nous devenons capables d'accomplir. Ensuite nous continuons immuablement, mais après exécution selon une ligne de conduite donnée, sachant exactement ce que nous accomplissons, et pas seulement ce que nous allons accomplir.

Si nous vivons selon cette manière toujours sujette à notre compréhension, nous ne pouvons pas changer. Or il y a toujours progression. Cela nous met dans un état autre qui est la vieillesse.

La vieillesse est objective. Nous la produisons nous-mêmes, mais est-elle nécessaire ? Nullement. Supposez que nous puissions voyager dans l'espace à une distance telle que la Terre ne compte plus pour nous. Alors le temps n'existerait plus. Supposons que nous restions là pendant cent ans selon notre manière de compter. Nous ne serions pas plus vieux. La même situation peut être amenée directement sur la Terre. En fait, elle existe réellement ici — ni temps ni espace — des conditions soumises à notre détermination. Les savants médicaux nous disent qu'aucune cellule corporelle ne vit plus de neuf mois. Nous ne sommes soumis qu'aux changements que nous leur imposons. Si cette condition parfaite n'existait pas, nous ne pourrions jamais faire preuve de jeunesse. Si la jeunesse n'était pas toujours opérante, il n'y aurait rien de jeune. Si la jeunesse n'était pas sujette à notre volonté, nous serions tous vieux. Actuellement nous soumettons la vieillesse à notre volonté. Un enfant naît. L'entourage lui attribue une vie probable de soixante-dix ans. L'enfant admet cette pensée. Nous ne lui accordons même pas la chance de tracer son propre avenir. Nous lui imposons l'idée de la mort. Les Hindous disent que soixante-dix ans est le temps nécessaire pour atteindre la majorité, et commencer à accomplir. A partir de là, l'homme peut poursuivre sa vie sans limitations, avec la jeunesse complètement soumise à son choix.

On dit que nous réussissons tout ce que nous entreprenons. Si c'est un échec que nous entreprenons, nous en faisons un succès. Si c'est la perfection, nous en faisons aussi un succès. Combien il est préférable de présenter la perfection plutôt que l'imperfection. Si nous ne faisons rien de plus qu'aider notre voisin, c'est bien mieux que de lui présenter l'imperfection. Nous tirerions bien plus d'avantages de la vie, et cela ne nous coûterait pas un centime. Il ne coûte rien de le saluer avec un sourire. Présentez-lui l'amitié, et la perfection suivra le même parcours.

Pensez à une assemblée qui se réunirait en n'ayant qu'un seul but en vue : jeunesse, beauté, pureté, et perfection ! Est-ce que cela coûterait quelque chose de vivre selon ces idéaux ? Si nous le faisions en les considérant toujours comme prépondérants, nous changerions notre condition dans l'espace d'une semaine. Nous avons même vu ce changement s'accomplir en quelques instants.

Jésus n'a-t-il pas dit : « Si votre vision est unique, tout votre Corps est plein de lumière ? » En examinant aujourd'hui les originaux des enseignements de Jésus, il est impossible d'y trouver un passage où Il a situé quelque chose dans l'avenir. Il a donné aux hommes la plus grande liberté pour diriger leurs pensées vers un but précis, et ce but est l'accomplissement.

Nous avons vu un homme capable d'établir une situation où rien ne pouvait le toucher. Il n'était pas non plus un soi-disant maître. Il était un Sioux indien, et l'histoire s'est passée dans notre propre pays[1]. Nous connaissons chez les Indiens contemporains des circonstances dans lesquelles ils peuvent tracer autour de leur village une ligne que nul ne peut franchir s'il a de la haine dans son cœur. On tenta deux fois de la franchir, et, dans les deux cas, le résultat fut désastreux.

Jésus a dit : « Quand vous vous aimez les uns les autres, vous êtes immergés dans l'amour. » Il a situé l'amour comme l'un des plus grands pouvoirs. Quand nous orientons ce pouvoir en sens inverse, nous entrons dans un état tourbillonnaire. Il a dit que vous êtes maîtres du ciel et de la terre, et de tout ce qu'ils contiennent. Y a-t-il des limitations en cela ? Jésus voyait bien

1. Les États-Unis.

que l'homme n'avait pas atteint ses possibilités. Il présenta l'Illimité à l'humanité.

Si un atome était hors de sa place dans un corps, ce corps ne pourrait pas rester vivant. Déplacez un atome et l'univers explosera. Jésus présenta cette situation d'une manière simple et directe. Ses paroles originelles sont parfaitement claires. Il a situé l'idéal avec tant de précision que nous ne pourrons jamais l'oublier. Il l'a présenté comme étant «Dieu». On sait aujourd'hui que l'influence vibratoire de ce mot nous fait franchement sortir de l'état hypnotique que nous avons établi dans notre propre corps. Si nous tournions vers Dieu l'énergie que nous consacrons à cet état hypnotique, nous établirions avec Dieu des rapports tellement nets qu'il n'y aurait pas de séparation.

Mais la plupart d'entre nous regardent à l'extérieur à partir du point central et permettent à leurs pensées de se disperser. La vision de Jésus était tournée vers un point unique, la condition subjective qui existe toujours. L'objet change, mais la vérité est immuable. Si nous changions et orientions toute notre énergie vers ce point, nos corps émettraient de la lumière ; alors en entrant dans une chambre la pièce s'éclairerait. Nous avons vu cela bien des fois. Ce n'est pas une abstraction. Nous pouvons la photographier, et on ne peut pas photographier une abstraction. Nous pouvons nous écarter de la condition instable dans laquelle nous avons choisi de vivre, et atteindre la condition stable. Cela ne nous prend pas plus de temps qu'il n'en faut pour y penser. Dès que nous avons changé notre pensée pour adopter la Vérité ou Dieu, nous sommes cette Vérité et elle nous accompagne.

Point n'est besoin de leçons. Les leçons ne font que nous rendre conscients. Oui, elles ont un pouvoir, mais nous avons tendance à attribuer plus d'énergie à la leçon qu'à la signification qu'elle transmet. Les deux étudiants qui marchèrent sur l'eau à la rencontre des maîtres qui s'y tenaient debout n'eurent besoin que d'une seule démonstration pour le faire, tandis que les autres se tenaient sur la berge. Beaucoup de gens se tiennent sur la berge parce qu'ils n'ont pas acquis une condition stable. La même quantité d'énergie qu'ils accordent à l'instabilité les aurait immédiatement fait sortir de l'eau. Nous n'avons nul besoin de quitter notre planète pour apprendre à marcher sur l'eau ou apprendre une nouvelle règle. Il n'en existe qu'une seule et elle est ici avec nous. Nous ne pouvons pas la changer. Peu importe combien de temps nous restons éloignés d'elle. Quand vous vous tournez vers la lumière, vous vous apercevez que vous êtes la lumière. Jésus n'avait pas à marcher vers la lumière parce qu'Il était la lumière. Comme il l'a expliqué, c'était la lumière de la vérité, la lumière de l'amour, la Lumière de Dieu.

Jésus n'a jamais utilisé de pensées non orientées vers un principe. Avec un comportement semblable nous pouvons tous suivre ce très simple chemin. Ceux qui le suivent ne prennent rien à autrui, mais produisent intérieurement. Cela s'applique à la nourriture et à tous les objets indispensables. La seule différence entre eux et le reste de l'humanité est qu'ils ont élargi leur vision pour jouir d'un horizon plus vaste. Chacun peut en faire autant, et en le faisant nous avons appris la règle. Nous suivons notre propre voie, et alors *nous savons*. On peut nous présenter d'autres voies et nous montrer d'autres chemins, mais à moins d'utiliser notre propre voie, nous n'aboutirons à rien. Si nous nous fions à autrui, nous ajoutons des impulsions et de l'énergie à quelque chose que quelqu'un est en train de faire et nous tirons cette énergie de notre corps. Dès que nous présentons notre propre voie, nous ajoutons de l'énergie à notre corps et il en reste une bonne réserve. Cela établit une situation qui aide tout le monde. Nous ne prenons pas les pensées de quelqu'un d'autre pour bâtir dessus. Nous construisons nos propres pensées sous une forme universelle dont toute l'humanité tire profit.

Il est dit que nul ne produit une valeur sans que la race entière en bénéficie. C'est l'énergie que nous ajoutons, dirigée vers de hautes pensées qui fait progresser l'humanité. Cela ne se fait pas en construisant sur les fondations d'autrui, mais sur les nôtres. Alors toute l'énergie de l'univers est à notre disposition.

Toute chose à laquelle nous pensons sous l'égide de Dieu et avec sa vibration nous appartient. Cela implique toute ressource, toute connaissance, toute pureté, toute perfection, et tout bien.

Vous pouvez atteindre la maîtrise aussitôt que vous centrez toute votre pensée sur le fait que la Divinité est déjà établie en vous. Sachez tout le temps que la Divinité n'est nulle part ailleurs qu'à l'intérieur de vous, qu'elle y a toujours été établie. Vous l'avez seulement voilée et maintenue hors de votre conscience par vos propres pensées contraires.

Parlez à cette Divinité intérieure. Dites-Lui que vous savez qu'Elle est là et que vous êtes devenu pleinement conscient de Sa présence. Demandez Lui de se manifester et d'être le facteur dominant dans votre vie. Dites-Lui : « *J'ai maintenant abandonné et exclu de ma vie toutes les pensées négatives. Je suis reconnaissant de ce que la Divinité imprègne mon corps tout entier.* » Décidez que vous allez désormais cesser d'être un animal, que tout votre corps est maintenant si pur que la Sainte Présence du Dieu vivant a obtenu la pleine possession de ce temple corporel et qu'elle en a désormais la responsabilité complète. Conservez constamment ces pensées dans votre esprit.

Dites ensuite : « *Je sais maintenant que la bénédiction et la satisfaction issues de l'union avec le Christ Vivant demeurent en moi pour l'éternité. Je sais que la Présence du Christ Vivant est pleinement établie en moi et que Je Suis la pureté originelle du Christ.* » Gardez ces affirmations devant votre pensée subjective ou subconsciente, et vous éprouverez bientôt la joie et la satisfaction qui ont toujours été potentiellement les vôtres grâce à la Présence du Christ Vivant.

Vous découvrirez bientôt que vous engendrez des forces mentales qui supplantent tous les sentiments, pensées, et actions contraires. Vous bâtissez une force vive de pure pensée qui est irrésistible et domine votre monde entier. Le moment de fortifier ce Temple Spirituel et Saint arrive quand vous êtes en paix avec votre propre âme. De cette manière, nous éduquons la pensée subjective au point qu'elle ne formule plus que des impressions Divines. Cela s'enfonce profondément dans notre conscience et opère durant toutes les heures de notre sommeil. Quand nous découvrons un point faible dans nos pensées, nos paroles ou nos actes, il est nécessaire de faire pleinement intervenir la volonté pour combler les failles de la structure. Bientôt nous apprenons à triompher automatiquement de toutes les pensées adverses. Alors seules les Pensées divines et les sentiments Divins résideront dans nos mondes. Ils y forment une armée si bien disciplinée que nul autre que Dieu ne peut y pénétrer. Cela représente le degré de Maîtrise absolue où l'on devient capable de rendre manifeste le Principe Divin. Nous sommes alors la base de tout Pouvoir Spirituel. Si vous y consacrez votre vie, vous verrez que cela fournit des dividendes substantiels. Vous apercevrez l'aurore d'un nouveau jour et vous obtiendrez une meilleure compréhension de la Loi.

Pour éliminer la discorde de votre pensée et de votre monde, il n'y a pas de moyen plus efficace que de *savoir* positivement que toute votre pensée et votre corps sont le Temple du Dieu Vivant. Vous pouvez aussi utiliser cette notion en sachant que la silencieuse, mais pénétrante, influence des pensées Divines bénéficie à toute l'humanité et même à l'univers tout entier. Chaque pensée constructive, chaque sentiment, chaque parole prononcée par vous contribue à son élévation. Plus vous pensez à l'immortel Amour de Dieu, plus l'illumination de l'humanité manifeste sa grandeur. Dans une certaine mesure, vous pouvez ainsi comprendre notre immense privilège quand l'occasion nous est donnée d'élever et d'éclairer l'humanité. De plus, nous avons envers la vie la responsabilité et le devoir d'aider à éliminer ce qui est négatif dans le monde. L'une des manières les plus efficaces d'y parvenir consiste à refuser de voir, d'entendre, ou d'accepter le négatif et d'effuser constamment l'Amour divin sur chacun et chaque chose. Restez convaincus que « *l'Esprit Divin du Christ Triomphant transcende toute discorde* ».

Sachez toujours que votre volonté est alors la Volonté Divine et que Dieu agit constamment par votre intermédiaire ! Chaque pensée que vous adaptez à cette pensée maîtresse accroît le pouvoir de votre volonté au point que votre pensée devient prédominante. Faites cela et comptez en toute sincérité sur les résultats. Alors rien ne pourra vous troubler.

L'emploi persévérant et quotidien de ces paroles et pensées énergiques et positives, répétées avec une grande intensité, revigore les cellules cérébrales endormies, et vous saurez bientôt que vous êtes le Seigneur tout-puissant.

Si vous exercez votre volonté et votre parole dans toutes les circonstances, vous deviendrez maître de votre pensée et vous cesserez d'accepter les aspects négatifs du monde qui vous entoure. Si vous êtes fidèle dans un petit nombre de circonstances, vous deviendrez maître de toutes choses. Créez par votre parole les circonstances qui vous conviennent à juste titre, et vous devenez le maître de toutes les conditions.

Les physiologistes affirment maintenant que les

cellules de notre corps ont le pouvoir de recevoir des impressions et de les apporter à la structure cellulaire complète de la forme humaine. Elles posséderaient aussi le pouvoir de se rappeler des impressions (la mémoire), de comparer des impressions (le jugement) et de choisir entre les bonnes impressions et les mauvaises. On a aussi démontré que la pensée subjective ou subconsciente est la somme de l'énergie et de l'intelligence de toutes les cellules du corps. Quand on n'exprime que des impressions Divines, toutes les cellules enregistrent la divinité de chacune d'elles, et elles transmettent cette divinité à chaque cellule de la forme humaine. Si ce n'était pas vrai, on ne pourrait prendre aucune photographie de ce corps. Lorsque l'individu sait cela, la force de volonté de chaque cellule se synchronise et opère en harmonie avec la volonté de l'organe auquel elle appartient et auquel elle s'attachera. L'ensemble des pouvoirs de toutes les cellules ainsi douées de volonté constitue la volonté consciente de l'organe. Celle-ci opère alors en harmonie consciente avec la volonté centrale de l'ensemble organique du corps humain. Alors quand nous employons la formule « Dieu Je Suis », elle se manifeste pleinement dans la forme du corps entier. Elle accroît aussi le pouvoir des formules suivantes, telles que *« Je Suis le Pouvoir de Dieu », « Je suis toute l'Abondance »*, etc., et enfin *« Grâce à cette Parole de Pouvoir, Je Suis dégagé de toute limitation. »*

QUESTIONS ET RÉPONSES

Q : *Voulez-vous expliquer ce que vous entendez par Dieu ?*

R : Dieu est le principe par lequel nous subsistons. On ne peut pas définir Dieu. Il dépasse toute définition. Une définition n'est qu'un tentative pour enclore Dieu dans l'intellect humain.

Q : *Certains emploient le mot Dieu, d'autres le mot Esprit, d'autres encore le mot Principe. Quel est le meilleur ?*

R : Le mot supérieur est Dieu. Il ne permet pas d'établir une condition hypnotique. Avec d'autres mots on le peut. Si l'on s'oriente directement sur ce point central, on accomplit le maximum. Vous ne prononcerez jamais trop souvent le mot « Dieu ».

Q : *Vous parlez de Jésus regardant la lumière blanche dorée. Est-ce le comportement le plus élevé ?*

R : Nous ne savons pas. Cela dépasse de beaucoup tout ce qui est objectif. Rien de ce qui a un potentiel inférieur ne peut la pénétrer.

Q : *Quelle méthode devrait-on employer pour contacter le Pouvoir Divin ?*

R : Il n'y a pas de formule établie. A l'examen,

la Loi est toujours avec nous. Si nous nous synchronisons franchement avec la loi, tout l'univers s'ouvre à nous. Si l'univers nous est ouvert et si nous en voyons tous les aspects, nous nous manifestons sous l'égide de sa loi et nous nous unifions avec elle. Cela se fait tout simplement en *sachant* que nous ne faisons qu'un avec elle, sans jamais permettre à aucun doute ou à aucune crainte d'interférer.

Q : *Le monde occidental est-il prêt à accepter ce que vous dites ?*

R : Le monde occidental s'y prépare et la préparation est si rapide qu'elle n'exclut personne. Ce sont les gens qui s'excluent eux-mêmes. Nous créons le champ quand nous ouvrons notre entendement. On peut agrandir ce champ pour y inclure tout l'univers. A tout moment, l'univers de notre corps ne fait qu'un avec l'ensemble de l'univers et il n'appartient qu'à nous d'élargir notre compréhension pour nous unifier avec l'ensemble universel.

Q . *Comment discriminer les pensées à émettre ?*

R : Si vous êtes incapable de les discriminer, répandez votre Amour au mieux de vos aptitudes, et refusez de répandre autre chose. Cela vous conduira à des situations harmonieuses. Jésus a situé l'Amour au-dessus de tout.

Q : *Comment se fait-il qu'un Avatar soit envoyé de temps à autre sur la terre ?*

R : La présentation d'un Principe est ce que vous auriez tendance à appeler la sélection d'un Avatar. Cette personnalité se borne à vivre proche du Principe. La voie qu'elle montre ou l'exemple de sa vie devient la voie pour tout le monde.

Q : *Son arrivée et sa réapparition dépendent-elles de certains états du développement spirituel de l'humanité ?*

R : Non. Il surclasse tous les développements et vit en unité avec l'Esprit.

CHAPITRE VI

« Sachez que vous savez »

On m'a demandé de parler de guérison.

En réalité, nous nous guérissons nous-même. Il y a là un facteur très important, parce que dès que vous voyez la Divinité, ou Dieu dans une personne, vous formez toujours une majorité avec Dieu. Or Dieu ou le Divin Principe ne connaissent rien d'imparfait. Nous savons aujourd'hui que c'est exactement cela qui se produit dans les sanctuaires de guérison du monde entier. En se rendant à ces sanctuaires, les gens orientent exclusivement leurs pensées vers l'accomplissement et l'obtention d'une santé parfaite. Ils acceptent l'émanation qui ressort du sanctuaire, sur quoi la guérison prend place.

Nous pouvons vous montrer cela en photographie. Un très remarquable médecin d'une de nos grandes villes travaillait avec nous. Il demanda à ses associés de lui soumettre des radiographies de cas considérés comme incurables par les fraternités médicales, avec l'histoire des malades.

La caméra employée permet de voir où se trouvent les parties malades du corps. Là où la vie et la santé subsistaient, le film montra que le corps rayonnait et scintillait de lumière. Nous avons eu devant cette caméra des personnes dont la lumière rayonnait jusqu'à dix mètres ! Parmi les quatre-vingt-dix-huit cas traités, nul malade ne resta plus de trois minutes avant de s'en aller complètement guéri.

Tout ce que nous avons fait consistait à dire « Voilà, vous concentrez toute votre attention sur les zones obscures, n'est-ce pas ? Vous ne prêtez aucune attention à la lumière, ni aux zones lumineuses, ni à l'origine de la lumière. Maintenant, négligez complètement ces zones obscures, et centrez toute votre attention et vos pensées sur la lumière ! » Chacun des quatre-vingt-dix-huit malades, qui avaient tous été amenés sur des brancards, s'en alla à pied complètement guéri. N'est-ce pas la preuve que l'on se guérit soi-même ? Vous vous soignez vous-même et c'est absolu.

Si nous utilisions ces expressions positives, nous verrions bientôt qu'il n'y a plus de maladies. On a donné un nom à une certaine maladie, et nous répétons indéfiniment ce nom. Or les pensées et les noms sont des choses, et si nous les plaçons dans la position absolue qui leur était destinée et dans la fréquence vibratoire à laquelle elles appartiennent, la perfection se manifestera. C'est le cas de toutes les inventions, mais beaucoup de gens croient qu'il faut se lancer dans l'étude et creuser, et creuser.

Nous avons découvert cela dans nos travaux de recherche. Nous n'avions pas de table de logarithmes, mais nous les calculions chaque fois que c'était nécessaire. Nous avancions, puis nous découvrions que nous avions fait fausse route et nous revenions en arrière pour recommencer. Nous ressemblions à ces petits enfants qui apprennent à marcher ; mais maintenant nous sommes capables de marcher parce que nous avons des instruments mécaniques. Nous en construirons d'autres à partir du point que nous aurons atteint.

Pour illustrer mon point de vue, voici une expérience que nous avons vécue. Nous avions besoin d'un homme jeune pour un travail spécifique. Nous avions travaillé très longtemps sur un problème et nous trouvions apparemment à un carrefour quand ce jeune homme arriva de l'université de Columbia. Il n'avait jamais eu l'expérience de notre genre de travail, mais en vingt-cinq minutes, il avait résolu nos problèmes ! Or nous y avions travaillé pendant près de quatre ans.

Qu'était-il donc arrivé ? A chaque instant, il *savait* qu'il *savait*. En entrant dans notre bureau, il se dit à lui-même : « Je connais cette situation », et il apporta la solution simplement en *sachant*.

J'ai eu jadis une expérience analogue. Elle s'est passée à l'école préparatoire de l'université de Calcutta où j'entrai à l'âge de quatre ans. Dès le premier jour, le professeur me dit : « Voici l'alphabet, qu'en penses-tu ? » Je répondis : « Je ne sais pas. » Il répliqua : « Eh bien, si tu en restes là, tu ne sauras jamais. Retourne ta pensée et abandonne ce "Je ne sais pas", et *sache que tu sais* ce que c'est. » Je poursuivis ainsi les classes de cette école, puis celles de l'université de Calcutta d'où je sortis diplômé à quatorze ans.

Ces choses sont si simples que nous les omettons. Nous croyons qu'en allant à l'Université, il faudra nous plonger dans le travail, creuser et creuser, et tout pêcher dans les livres. Tout ce qui a été écrit dans un livre est déjà connu. Si vous prenez cette position, vous le saurez aussi. Vous vous servez d'un livre comme d'une béquille pour progresser, au lieu d'accepter le fait que son contenu est déjà incorporé en vous. Vous êtes le maître. Vous maîtrisez ces choses. C'est possible dans tous les chemins de la vie, et nous commençons à le comprendre en nous élevant au-dessus de notre état négatif. Nous apprenons graduellement que cet état ne nous a servi à rien, et alors pourquoi le maintenir ? La valeur consiste à *savoir et à être* la chose que vous exprimez, et, à partir de là, vous continuerez à progresser.

Presque tous ceux qui progressent à travers ces différents plans adoptent maintenant ce comportement. Il en est ainsi pour plus de quatre-vingt-dix pour cent des inventeurs d'aujourd'hui. Au cours des six dernières années, nous avons accompli plus de choses qu'au cours des quatre-vingts années précédentes.

J'ai traversé ces expériences, et même un peu plus. Je sais exactement comment elles se sont développées. C'est grâce au fait qu'aujourd'hui nous nous tenons carrément sur nos pieds et que nous *savons* que nous *connaissons* ces choses. Elles sont là. Si une invention n'existait pas déjà, personne ne pourrait jamais atteindre la fréquence vibratoire nécessaire pour la faire connaître. Cette fréquence existe, et dès que vous entraînerez votre cerveau et vos pensées, vous saurez exactement ce que vous désirez exprimer. C'est pourquoi nous avons si remarquablement progressé.

Bien entendu, il y a bien des manières d'y parvenir, et l'on n'a guère besoin de les citer. De nombreuses personnes les connaissent, mais ceux qui ne les connaissent pas devraient faire de sérieux efforts pour savoir qu'*elles les connaissent* et s'en tenir carrément à cette déclaration. C'est elle qui vous permet toujours de franchir les obstacles.

On a souvent dit qu'il n'y a rien de neuf dans l'univers, et c'est vrai. Si ce n'était pas vrai, il n'y aurait pas de vibration caractéristique permettant de croire à une chose déterminée. Tous ces champs sont soumis à certaines influences vibratoires. Toute notre vie est vibrations, et, bien entendu, nous les sélectionnons dans une certaine mesure ; mais quand nous commençons à comprendre que nous pouvons nous synchroniser avec elles, et nous les approprier, alors toutes ces choses deviennent parfaitement naturelles pour nous. Presque tous les inventeurs contemporains comprennent qu'ils ne sont pas en train d'enregistrer ou d'exposer quelque chose qui, à un moment donné, n'ait pas déjà été exprimé sous fréquence vibratoire. Il en va de même pour la littérature. Tout livre écrit a déjà été enregistré sous fréquence vibratoire à un moment donné. Nulle parole prononcée ne cesse d'exister. Toutes subsistent dans le domaine appelé champ énergétique ou influence vibratoire.

L'Amour est un mot dont l'influence vibratoire est très proche de celle du mot Dieu. Nous connaissons des milliers de guérisons accomplies par son emploi. Toute maladie connue rétrocède devant la puissance de l'amour quand nous l'exprimons. Il produit aussi des images et des modèles remarquables autour des individualités. On peut presque voir la source où certaines gens puisent pour exprimer l'amour. Elle ressemble à une cuirasse qui les entoure.

Il y a bien des années, un de mes amis médecins fut nommé officier d'état civil dans une Réserve d'Indiens Sioux. Je lui rendis visite et il m'invita à l'accompagner pour assister à une épreuve organisée par l'Homme Médecin de la Tribu. Toutefois, il démontra qu'il ne s'agissait pas d'un médecin ordinaire. Un jour ce dernier s'isola et resta cinq ans en méditation. Quand il en sortit, il était prêt pour être guérisseur.

Il pratiqua lentement une première épreuve devant nous. Il plongea son bras dans un chaudron d'eau bouillante et choisit un morceau de viande qu'il en retira. Sa main était indemne. Je revis cet homme pendant deux mois après cette épreuve ; il n'y avait absolument aucune apparence de dommage à sa main.

Lors de la seconde épreuve, il se tint tranquillement debout à une certaine distance des trois meilleurs tireurs de la tribu. Le docteur N. et moi prîmes les cartouches des tireurs, en retirèrent les balles, puis la poudre. Nous y mîmes une nouvelle dose de poudre pour être certains qu'il n'y avait pas de tricherie, puis nous replaçames les balles. Les hommes tirèrent, et chacune de ces balles s'aplatit sur la poitrine de l'homme visé. J'ai encore en ma possession deux de ces balles aplaties.

Ensuite l'homme s'installa dans sa tente-abri. Toute personne atteinte d'une difformité ou d'une maladie quelconque et qui venait l'y voir en sortait complètement guérie. Nous en fûmes témoins à maintes reprises. Je devins plus intime avec lui et lui demandai quelle était sa méthode. Il répondit qu'elle était semblable à la manière dont on exprime l'amour divin. Au moment où nous écrivons, cet homme vit toujours et poursuit sa grande œuvre de guérison. Nous n'avons jamais rien lu à son sujet dans les journaux. Il vit dans une retraite absolue et n'en sort jamais pour commenter son travail. Il a dit une fois : « Mon rôle dans la vie consiste à donner à autrui tous les sentiments d'amour que je peux exprimer, et je reçois ainsi ma grande récompense. » Voici donc un Indien Sioux dont fort peu de gens ont entendu parler et qui accomplit une vraie mission d'Amour Divin, en silence et avec désintéressement.

Au Texas, il y a bien des années, j'ai entendu l'histoire d'une petite fille de cinq ans qui guérissait par amour. Je suis allé la voir, et sa mère m'a dit que la petite disait constamment à tout le monde qu'elle les aimait. Elle disait : « J'aperçois l'amour autour de tout le monde et autour de moi-même. » Chaque fois qu'elle entendait dire que quelqu'un était malade, elle demandait à sa mère de la conduire à son chevet et, dans presque tous les cas, lorsqu'elle entrait dans la chambre du malade, celui-ci se levait prestement de son lit, en parfaite santé. Cette enfant a poursuivi son développement et elle accomplit aujourd'hui une grande œuvre.

Il y a beaucoup de cas semblables. J'en ai connu un en Hollande, où pousse un trèfle rouge d'environ

40 centimères de hauteur avec des fleurs magnifiques, s'élevant juste à la hauteur du porche de l'entrée de la ferme. J'avais rendu visite aux propriétaires un dimanche après-midi, et nous étions tous assis près de l'entrée quand une fillette apparut, et sortit du porche en marchant sur le sommet des fleurs de trèfle sur une distance d'une trentaine de mètres. Elle ne toucha jamais la terre avec ses pieds. Elle se borna à sortir, à marcher sur les fleurs, puis à se retourner et à revenir de la même manière pour prendre pied sur le porche.

Nous demandâmes à la fillette comment elle s'y prenait pour marcher ainsi. Elle répondit : « Je ne sais pas. Je donne de l'amour à tout. J'aime ce trèfle rouge et il me sustente ». Nous nous bornâmes donc à constater le fait. Elle parla de ses camarades de jeux en disant qu'elle les *aimait* tous et réciproquement. Il ne pouvait donc rien leur arriver de mal. J'ai gardé contact avec cette fille jusqu'à ses vingt et un ans. Elle se rendit alors en Belgique où je perdis sa trace. Son père me dit qu'il ne l'avait jamais entendue dire autre chose qu'amour pour tout le monde.

Cet amour guérit, et chacun de nous peut le pratiquer. Il est bien facile de faire irradier cet amour hors de chacun, comme le faisaient ces enfants.

Je me trouvais en Espagne, près de l'une des plus grandes mines de cuivre du monde, quand une famille russe arriva avec une petite fille de onze ans dont le père s'était embauché à la mine. Ils me dirent que leur enfant possédait ce que l'on appelle la « touche de guérison ». Par exemple, elle posait sa main sur une personne et lui disait : « Je vous aime, et je vous aime même tellement que votre maladie s'en est allée et j'ai rempli d'amour l'espace qu'elle occupait ». Et nous avons constaté que c'était exact. Dans le cas d'une difformité, la personne devenait absolument parfaite. J'ai vu un malade qui avait presque atteint les derniers stades de l'épilepsie. La fillette posa sa main sur lui et dit : « Ton corps entier est plein d'amour et je ne vois que la Lumière. » En moins de trois minutes la maladie avait complètement disparu. La lumière et l'amour émanant du corps de cette fillette étaient si puissants que nous pouvions les voir et les ressentir.

Alors que j'étais encore un petit garçon, je jouais un jour avec d'autres enfants, juste hors de notre maison à Cocanada, sur la côte orientale de l'Inde. L'obscurité approchait très rapidement, car il n'y a pas de crépuscule dans cette région. Un petit garçon ramassa un bâton et m'en frappa le bras. Il m'en fractura les deux os, et ma main retomba inerte. Bien entendu, au début, ce fut horriblement douloureux, puis mes pensées se remémorèrent un exposé que m'avait fait mon professeur : « Va dans l'obscurité et mets ta main dans celle de Dieu, car c'est mieux qu'une lumière et plus sûr qu'un chemin connu. » La Lumière m'entoura, et presque immédiatement la douleur disparut complètement. Je grimpai sur un grand banian pour être seul, et la lumière continuait à m'entourer. Je la considérai comme une Présence, mais je n'oublierai jamais l'incident. Tandis que j'étais assis seul sur une branche de cet arbre, ma main se redressa toute seule. Je restai sur l'arbre toute la nuit ; au matin il n'y avait plus aucune trace de fracture à mon bras, sauf une enflure dans la région où les deux os avaient été cassés. Mes parents croyaient que les servantes s'étaient occupées de moi et m'avaient mis au lit. Le lendemain matin, quand je leur racontai ce qui s'était passé, ils ne purent me croire et m'emmenèrent immédiatement chez un docteur. Celui-ci dit que les deux os avaient été fracturés mais s'étaient parfaitement ressoudés. Depuis lors, ma main ne me causa jamais plus d'ennuis.

Je cite simplement quelques incidents à titre d'exemples, parce qu'ils sont si simples et si naturels que chacun peut en faire autant. J'ai vu un cas où un bâtiment avait réagi à l'amour exprimé par un vaste auditoire.

Comme l'a dit l'immortel Gautama Bouddha, « Il est plus grand de consacrer cinq minutes à exprimer le véritable amour divin que d'offrir un millier de bols de nourriture à des miséreux, car en exprimant l'amour on aide chaque âme de l'Univers. »

Bien entendu, l'amour unifie les paroles que nous prononçons avec les pensées et les sentiments que nous éprouvons. Les mots sont des choses. Les paroles sont des choses. Vous êtes là où sont vos pensées. Quand nous apprenons à discipliner et à contrôler nos pensées et nos sentiments, et si nous employons seulement des paroles positives et constructives exprimées avec l'amour divin, notre corps et notre esprit réagissent à cette rectitude[1], le juste emploi des mots et leur sélection ont une importance capitale, mais le sentiment qui les fait prononcer est tout aussi important, car le senti-

1. En anglais, rectitude : righteuseness, right-use-ness.

ment est le pouvoir moteur qui fait vivre les mots. C'est là qu'intervient l'amour divin. Cela ne signifie pas qu'il faille nous promener en disant « amour, amour, amour ». Il suffit de dire le mot une fois avec sentiment, vision, conviction, et acceptation pour que la loi agisse immédiatement et le manifeste. « Avant que vous ayez parlé, J'ai répondu », disent les Écritures. Suivez les conseils de Bouddha : « Utilisez l'amour, concentrez-vous sur lui, appliquez-le à vous-même le matin, à midi, et le soir. Quand vous vous asseyez pour participer à un repas, pensez à l'Amour, éprouvez-le et votre nourriture aura un bien meilleur goût. »

Parmi les perles énoncées par Bouddha, beaucoup n'ont jamais été imprimées. Le poète Tagore en a employé beaucoup dans ses écrits. Il savait utiliser et exprimer l'Amour. Il le *connaissait*, Il l'*était*, Il l'*est*.

L'Amour est de beaucoup la chose la plus importante. Il est la porte dorée du Paradis. Priez pour le comprendre, méditez quotidiennement à son sujet. Il élimine la peur, il est l'accomplissement de la loi, il triomphe d'une multitude de péchés. Il est invisible et triomphera de tout. Il n'existe aujourd'hui aucune maladie qu'une dose suffisante d'amour ne puisse guérir. Aucune porte qu'un amour suffisant ne puisse ouvrir. Aucun gouffre qu'un amour suffisant ne permette de traverser. Aucun mur qu'un amour suffisant ne puisse démolir. Aucun péché qu'un amour suffisant ne puisse racheter. (Extraits de *La Nuée des Ignorants*.)

QUESTIONS ET RÉPONSES

Q : *Je connais un médecin qui a passé sept ou huit ans aux Indes. Quand il est revenu aux États-Unis, il a lancé un défi à la Société Médicale de son Comté. Il a demandé à ses membres de lui présenter des éprouvettes contenant les germes les plus virulants de la typhoïde et d'autres maladies. Il en but une quantité suffisante pour tuer une armée, mais rien ne se produisit. Je découvris plus tard qu'il pouvait contrôler consciemment sa glande thyroïde. Apparemment, il contrôlait le mécanisme de l'immunité.*

R : Oui. On peut s'immuniser ainsi contre toutes les maladies.

Q : *Comment le contrôle conscient de la thyroïde affecte-t-il l'acidité qui est si essentielle pour éliminer les effects des bactéries ?*

R : Dans une grande mesure, l'acidité est réglée par le contrôle volontaire de la glande thyroïde. Celle-ci peut être commandée et stimulée au point de contrôler l'acidité dans une mesure presque illimitée. J'ai entendu plusieurs Hindous dire que c'est grâce à cela qu'ils peuvent neutraliser les bactéries. L'acidité les élimine simplement en les tuant. La thyroïde est stimulée par certains exercices qui doivent être enseignés par un expert en la matière. Leur méthode consiste à stimuler la thyroïde jusqu'à ce qu'elle sécrète la quantité de fluide nécessaire aux besoins du corps.

Q : *Les parathyroïdes servent-elles à quelque chose ?*
R : Oui. Elles constituent un très grand auxiliaire. Elles contrôlent le métabolisme du calcaire ou de la chaux. Elles peuvent être stimulées jusqu'à ce que le calcium incorporé soit suffisant pour créer une dentition nouvelle à n'importe quel âge.

Q : *Comment sont-elles stimulées ?*
R : L'élément important de leur stimulation est la concentration sur la thyroïde d'une influence spirituelle, et c'est exactement l'objet de nos entretiens d'aujourd'hui.

Q : *Pouvez-vous appliquer cela dans le domaine de l'oxydation et du contrôle de la respiration ?*
R : Les exercices spirituels devraient accompagner la respiration. Autrement dit, l'exercice de la pensée par discipline spirituelle.

Q : *La concentration signifie-t-elle que l'on visualise la thyroïde travaillant parfaitement ?*
R : Oui, dans un ordre parfait et une harmonie parfaite.

Q : *N'y a-t-il pas quelque chose comme une association précise entre la respiration, l'activité thyroïdienne, et l'oxydation, grâce à la posture que l'on prend et aux exercices respiratoires ?*
R : Oui. La posture et les exercices respiratoires

sont conseillés pour amener toute l'activité corporelle sous le contrôle d'une influence spirituelle. Nul enseignant ne recommandera ces exercices sans une activité spirituelle mobilisant également la pensée spirituelle. Beaucoup de gens peuvent faire fonctionner et utiliser à peu près instantanément ces activités spirituelles à cause d'une influence spéciale qu'on leur a appris à utiliser.

Q : *Qu'en est-il des glandes surrénales ?*

R : Les surrénales s'occupent de la pression sanguine. La thyroïde s'occupe de tout le reste. Elle est contrôlée par la glande pituitaire, et celle-ci l'est par la glande pinéale. C'est pourquoi il vous faut devenir comme un petit enfant. Au cours des examens posthumes, on constate que la glande pinéale est largement atrophiée. Quand c'est le cas pour les vivants, ils sont séparés du Royaume des Cieux. La glande pinéale est le centre primordial qui contrôle toutes les endocrines. Il est le Maître, le JE SUIS, de tout le corps physique.

Q : *Certains grands Maîtres discutent-ils de ce sujet, de l'amélioration de l'action des endocrines sur l'énergie éthérique et la respiration ?*

R : Ils professent que si vous acceptez la prana ou énergie éthérique, vous accepter aussi les influences spirituelles. Ils en reviennent à ces influences qui représentent l'activité majeure. Ils affirment que ce sont elles qui animent la pensée de la jeunesse, sur quoi les glandes pituitaire et pinéale se mettent immédiatement à fonctionner.

Q : *En concluez-vous que Jésus a précisément enseigné à Ses disciples cette manière de travailler sur les endocrines ?*

R : Oui, par la méthode chrétienne, qui est l'Amour en action. Il pouvait dire à juste titre que si vous devenez comme un petit enfant, vous entrerez dans le Royaume des Cieux.

Q : *Les savants matérialistes qui découvrent les méthodes modernes de la biochimie sont-ils inspirés par les Maîtres ?*

R : Oui. Ces notions sont transmises à la race humaine par l'intermédiaire de ces savants, pour le profit de l'humanité.

CHAPITRE VII
La réalité

Les Hindous disent que si Dieu voulait se cacher, il se cacherait dans l'homme. C'est le dernier endroit où l'homme le rechercherait.

La difficulté avec les masses humaines d'aujourd'hui provient de ce que les gens essayent de devenir quelque chose qui existe déjà en eux. Nous cherchons et recherchons Dieu partout à l'extérieur de nous, nous assistons à une quantité de conférences, de réunions, et de groupes, nous lisons d'innombrables livres, nous écoutons des professeurs, des personnalités et des chefs, alors que Dieu réside en permanence en nous. Si les Humains voulaient abandonner l'idée d'*essayer* et accepter celle d'*exister*, ils auraient rapidement une conscience parfaite de la Réalité.

Jésus nous a dit bien des fois que nul n'est différent de son prochain, que chacun est un Dieu-humain, avec tout le potentiel de ses attributs et qualifications.

Nous avons situé Jésus à part pendant des siècles, en

pensant qu'il appartenait à une autre catégorie d'êtres que nous. Or il n'est pas différent de nous, et il n'a jamais prétendu être capable de faire des miracles. Ce qu'on appelle ses miracles n'étaient que l'accomplissement de la loi naturelle. Cela a été démontré aujourd'hui. Il ne s'agissait que d'événements naturels qui doivent se reproduire et se reproduiront pour chacun de ceux qui se conforment à la loi.

Chacun de nous est capable de maîtriser les difficultés qui surviennent au cours de ses travaux, et si nous les laissons de côté, elles n'existent plus. Cela paraît incroyable, mais c'est un fait établi. Nous amenons les difficultés sur nous-même par nos propres pensées erronées.

Supposez que ces pensées et ces mots n'aient jamais été les nôtres, que nous n'en ayons jamais entendu parler, et qu'ils n'existent ni dans notre vocabulaire ni dans notre monde. Nous connaissons aujourd'hui quatre langages différents qui ne contiennent aucun mot négatif, ni aucun terme pour le passé et le futur.

Tout est ici et maintenant, accompli et achevé. Si nous pouvions nous conformer à cela et l'accepter, nous nous élèverions bientôt au-dessus de nos conditions négatives. Ce sont le nom que nous donnons à une chose et le sentiment avec lequel nous l'exprimons qui importent. Les paroles, les sentiments et les conditions négatives n'ont absolument aucun pouvoir, sauf celui que nous leur attribuons individuellement. Dès que nous cessons de leur infuser notre énergie, ils n'ont plus de vie, donc ils cessent d'exister.

Nous avons démontré irréfutablement aujourd'hui

qu'à cause du mot « Dieu » figurant dans la Bible, ce livre s'est perpétué comme il l'a fait. Le nombre de Bibles qui se vendent aujourd'hui dans le monde est plus grand que celui de tout autre livre. Si ce mot peut faire survivre un livre, chose inanimée, que fera-t-il si nous l'employons à travers la forme de notre propre corps ? Il est inutile de se promener en répétant « Dieu », « Dieu ». Prononcez-le simplement une fois avec une conviction sincère et précise, incluant l'expression de ce que vous cherchez à réaliser, et vous n'aurez jamais besoin de le répéter. Pourquoi ? Parce que vous êtes exactement dans le réseau vibratoire qui établit la réponse à votre requête. C'est pourquoi la Bible se maintient. Nous poursuivons notre projet sous l'égide de ce simple mot. La chose importante ne consiste pas à nier quoi que ce soit, mais à nous en tenir positivement à l'accomplissement de notre vœu.

Certains Hindous circulent en tenant une main en l'air et en disant « Om mani padme Om ». Au bout d'un certain temps, cette main grandit et ils ne peuvent plus la ramener en bas. Il en serait exactement de même si nous courions en rond en disant tout le temps : « Dieu », « Dieu ». Nous pouvons penser ce mot et savoir absolument qu'il est nôtre. Nous sommes la chose même que nous désirons exprimer, et nous n'avons nul besoin de la répéter constamment. Tout simplement, nous *sommes* cela.

La plus grande erreur de l'homme consiste à essayer de *devenir* Dieu au lieu de l'*être* tout simplement. Il recherche au-dehors ce qui est en dedans. Il ne faut pas *essayer* de devenir, mais seulement d'*être* Dieu, ce que nous proclamons carrément. Si vous ne le croyez pas vraiment, essayez de le croire pendant un certain temps, par exemple deux ou trois semaines. Je vous conseille de le dire une fois, de le *savoir*, puis de continuer en l'*étant*. Cela dépend de vous. C'est à votre disposition.

Le ciel, c'est l'harmonie omniprésente dans chaque individu, là où il se trouve. Vous avez votre libre arbitre. Par vos propres pensées et sentiments, vous pouvez le transformer en enfer, ce qui n'est pas très difficile. Par contre, si vous voulez employer le temps que vous consacrez à l'enfer en créant le ciel, et en le présentant ici et maintenant, vous le verrez se manifester.

Rappelez-vous toujours que Dieu est à l'intérieur. C'est la plus grande bénédiction pour les hommes. Considérez votre prochain comme vous vous voyez vous-même. Le Christ dans chaque visage. Non seulement c'est notre plus grand privilège, mais aussi notre meilleur entraînement pour apercevoir le Christ dans chaque personne que nous voyons ou connaissons. Il ne faut qu'un instant pour le faire dans toute réunion à laquelle vous assistez, et vous constaterez que c'est merveilleux. Vous arriverez bientôt à accepter l'existence du Christ en chacun. Nous sommes tous semblables et toujours semblables à Lui.

Revenant au sujet des paroles, pensées, et sentiments négatifs, nous connaissons aujourd'hui une association de 2.500 personnes qui ont voyagé par tous les moyens de transports connus et sur des milliers et milliers de kilomètres sans jamais avoir eu d'accident. La plupart de ces personnes habitent les États-Unis, où l'association a pris corps sous l'égide de quatre initiateurs.

Chacun de vous peut contrôler les tempêtes et les conditions météorologiques, ainsi que tous les éléments naturels. Peu importe ce qu'ils sont, vous en êtes potentiellement le maître et il vous appartient de le devenir réellement. Au lieu de cela, nous nous laissons dominer par eux et subordonner à toutes les conditions, situations, et circonstances. Chacune des personnes présentes dans cette salle pourrait, si elle en prenait l'initiative, maîtriser toute situation, simplement en *sachant* qu'elle en est le maître.

Les animaux sont très sensibles à ces choses. Ils réagissent quand vous pensez gentiment à eux, et même quand vous envoyez des pensées de gentillesse à d'autres. Les chiens reconnaissent immédiatement les sentiments.

En Alaska, où nous avons entretenu pendant très longtemps les pistes servant au courrier, nous avions plus de 1.100 chiens avant l'emploi des avions. Eh bien, figurez-vous que chacun de nos hommes en arriva au point de ne plus jamais utiliser un fouet. Les chiens étaient aussi dociles que possible quand on ne les troublait pas ou ne les inquiétait pas.

Je fis neuf voyages avec des chiens sur ces pistes s'étendant sur 3 000 kilomètres. Deux fois, je ne changeai aucun chien en cours de route et, cependant, ils arrivèrent au terminus dans une forme splendide. Tout le monde me demanda comment j'y étais parvenu. Je laissais simplement les chiens tranquilles, je les encourageais, je leur disais que tout allait pour le mieux, qu'ils avançaient très bien, etc. Mes collègues commencèrent à agir de même, et il en résulta un grand progrès. Si vous ne craignez pas un animal, si vous ne le maltraitez pas, mais si au contraire vous le félicitez et l'encouragez, il réagira merveilleusement.

Dès que nous employons un mot négatif, nous retirons de l'énergie de notre corps pour faire vivre ce mot. Nous nous autosuggestionnons en lui attribuant une valeur de fait, et c'est cette influence hypnotique qui nous entraîne à répéter ce mot à satiété. Si nous cessons de permettre à ces pensées négatives de nous hypnotiser, si nous nous refusons à les répéter et même à y penser, elles disparaissent complètement de notre monde.

Si nous nous débarrassions des idées de vieillesse, de mauvaise vue, et d'imperfections corporelles, ces situations négatives ne s'enregistreraient pas dans notre forme physique. Notre corps est constamment renouvelé et c'est cela qui est vraiment la résurrection. Celle-ci a lieu tous les quatre-vingt-dix jours dans tout être humain. Nous l'imprimons nous-même sur nos cellules corporelles par nos propres pensées, nos propres sentiments, et nos propres paroles. Nous nous trahissons nous-même. Nous trahissons le Christ chaque fois que nous employons la formule : « Je ne peux pas. » Quand nous employons un mot négatif, nous trahissons notre Christ intérieur. Donc, élevons des louanges au Christ, bénissons notre corps pour ses services, remercions le ciel pour nos innombrables bénédictions, et *soyons* à tout moment une manifestation vivante de la Loi.

QUESTIONS ET RÉPONSES

Q : *Comment les Hindous considèrent-ils Jésus par rapport au Bouddha ?*

R : Ils disent que Bouddha était le Chemin vers l'Illumination, mais que Jésus *est* l'Illumination.

Q : *Pourquoi cela paraît-il si difficile de maintenir la pensée vers un idéal ?*

R : Nous autres Occidentaux, nous ne sommes pas éduqués de la même manière que les Orientaux. Là-bas, même les enfants reçoivent une éducation spirituelle. On leur montre que s'ils ont formulé un idéal, il faut conserver cet idéal jusqu'à ce qu'il soit pleinement réalisé. L'éducation dans le monde occidental est quelque peu différente. On nous permet de laisser n'importe quelle pensée traverser notre esprit, ce qui éparpille nos forces. Si vous avez un idéal auquel vous croyez pleinement, gardez-le secret sans en parler à autrui avant qu'il ne soit complètement consolidé dans une forme. Conservez toujours présente à l'esprit la chose que vous DEVEZ accomplir et non celle que vous SOUHAITIEZ. Cela maintient la clarté de pensée. Dès que nous permettons la pénétration d'une autre idée, nous devenons un « penseur double ». En exprimant notre énergie vers un idéal unique, nous devenons un « penseur simple ». Il ne faut pas non plus nous exciter ou devenir doctrinaire. Nous n'avons pas à nous concentrer plus d'un instant sur notre idéal si nous dirigeons toutes nos forces vers lui sans les éparpiller. Ensuite, nous nous bornons à remercier pour son accomplissement, et pour le fait qu'il existe ici et maintenant.

Q : *Devons-nous comprendre que vous avez personnellement vu Jésus et que vous lui avez même serré la main ?*

R : Oui, et aussi à beaucoup d'autres que l'on qualifie de Maîtres. Ceux-ci ne prétendent pas être différents de vous ou de moi. Même les coolies des Indes le reconnaissent comme Jésus de Nazareth. Il n'y a rien de mystérieux à cela. Ses portraits le représentent comme un homme ordinaire auréolé d'une grande lumière. Il n'y a rien de vague concernant l'un quelconque de ces Maîtres. Ils sont parfaitement distincts, et leurs caractères sont prestigieux.

Q : *Comment se fait-il qu'aux Indes les coolies voient Jésus ?*

R : Les coolies ont accepté son existence et vivent avec cette conviction, alors que nous vivons dans une ambiance n'acceptant pas et ne croyant pas qu'Il existe. Je n'ai absolument aucune vision psychique. Si nous nous occupons entièrement de principes, nous ne pourrons pas être détournés du bon chemin. L'intuition est un facteur qu'il faut transformer en *connaissance.*

Q : *Pourquoi Jésus n'est-il pas apparu souvent aux États-Unis ?*

R : Il ne se localise pas, et sans aucun doute Il travaille autant ici qu'aux Indes.

Q : *Jésus a-t-il souffert physiquement sur la Croix ?*

R : Non. Quelqu'un d'aussi hautement illuminé que lui n'aurait pas pu souffrir physiquement. S'il n'avait pas voulu passer par cette expérience, il aurait pu répercuter l'énergie de ses tortionnaires, et cela aurait détruit ceux qui allaient le crucifier. Il a montré le chemin.

Q : *Jésus a-t-il vécu plusieurs années sur cette terre après sa crucifixion ?*

R : Nous n'avons jamais été informés qu'il se soit retiré de son corps. Il vit aujourd'hui dans ce même corps que chacun peut observer en entrant en contact avec lui.

Q : *Voulez-vous dire qu'un individu connu sous le nom de Jésus de Nazareth est apparu dans notre pays ?*

R : Oui. Naturellement, si nous ne L'appelons pas par son nom, Il ne sera pas ici avec nous

Q : *Est-ce à cause d'une considération spéciale que vous êtes capable de diffuser l'enseignement des Maîtres ?*

R : Nous ne sommes privilégiés en aucune manière par rapport à vous. Quand on leur demande s'il y a des Maîtres aux États-Unis, Ils répondent qu'il y en a plus de cent cinquante millions.

Q : *Jésus apparaîtrait-il si nous avions besoin de lui ?*

R : Il est toujours là où l'on a besoin de lui. Quand il a dit : « Voici, Je suis toujours avec vous », c'est bien cela qu'il voulait dire.

Q : *Est-ce que Christ signifie le Principe de vie ?*

R : Cela signifie Dieu-principe s'écoulant à travers l'individu.

CHAPITRE VIII

La maîtrise sur la mort

« Le Yogi Mort vit encore. » C'étaient les titres de haut de pages dans les journaux de Los Angeles qui rendaient compte du décès de Paramhansa Yogananda, fondateur de la Self Realization Fellowship (S.R.F., Fraternité des Connaisseurs de Soi), à Los Angeles, en Californie.

Les techniciens de la mort ont révélé aujourd'hui la surprenante histoire de Paramhansa Yogananda dont le cadavre était étendu sur une couchette ici, au quartier général de la Fraternité. Ils disent que son corps n'était pas techniquement mort vingt jours après son décès. L'administrateur du cimetière déclara que le corps de Yogananda, qui décéda au cours d'une allocution à l'hôtel Baltimore, avait été examiné quotidiennement par ses collaborateurs entre le 7 et le 27 mars, date à laquelle on scella le cercueil de bronze. « L'absence de toute trace visible de décomposition sur le cadavre de Paramhansa Yogananda représente le cas le plus extraordinaire de notre expérience. » C'est ce qu'écrivit l'administrateur du cimetière dans une lettre notariée à la S.R.F.

Nous référant au corps de Yogananda, il ne s'agissait pas d'un miracle. Nous avons vu des corps inanimés qui étaient restés tels, nous affirma-t-on, durant six cents ans. Mon arrière-arrière-grand-père avait observé un tel corps il y a fort longtemps. Cela se passait juste au nord de la frontière du Cachemire et du Pakistan d'aujourd'hui, et le corps en question était toujours resté là. Il y avait été étendu comme un signe de la protestation qui s'était élevée aux Indes, d'abord contre l'invasion des Mahométans, puis contre le mariage des enfants, puis contre le profond système des castes qui s'étendit sur l'Inde. Le corps étant toujours resté sur place, j'eus l'occasion de le voir pour la dernière fois il y a quatorze ans[1]. Je m'étais trouvé dans le voisinage durant la Première Guerre mondiale. A cette époque, environ deux cents soldats anglais avaient été pris au piège dans les montagnes au nord de ce lieu, et ils demandaient à traverser ce pays en sécurité. Quand ils arrivèrent en Inde, après avoir franchi sa frontière, ils observèrent le corps. Leur capitaine avait passé de nombreuses années aux Indes et il éprouvait un grand respect pour les Hindous qui le respectaient également. Il expliqua à ses soldats que s'ils voulaient observer le corps, il faudrait que la compagnie fasse une halte ici, mais il leur fallait donner leur parole d'honneur qu'ils n'essayeraient pas de

1. Vers 1937 ou 1938.

toucher le corps, se conformant ainsi au vœu de la population. Tant de personnes avaient été voir ce corps que les pierres qui entouraient le baldaquin où il était étendu, et sur lesquelles les visiteurs s'asseyaient, étaient usées.

Après que les soldats eurent regardé le corps, ils s'éloignèrent un peu et préparèrent leur campement pour la nuit. Quand ils eurent achevé leur travail, un des sergents demanda au capitaine une permission pour s'absenter (je tiens la chose du capitaine lui-même). Le capitaine répondit au sergent: « Je crois savoir ce que tu désires faire. Tu veux essayer de toucher ce corps. Alors, à moins que tu me donnes ta parole d'honneur que tu n'essayeras pas de toucher le corps, je te refuserai ta permission. » Le sergent donna sa parole d'honneur, obtint sa permission, et alla observer le corps. A cette époque, les sous-officiers portaient une petite cravache. Il marcha vers le corps, essaya de le toucher avec cette cravache, et tomba mort! Le capitaine me dit que j'étais le premier à en être informé. Bien entendu, j'avais d'abord eu l'idée que quelqu'un veillait et avait tiré sur le sergent pour se venger, mais le capitaine me dit qu'il s'était immédiatement rendu sur place pour faire un examen complet du corps du sergent, sur lequel il n'y avait aucune trace de blessure. Il rendit compte de l'événement au ministère de la Guerre à Londres et son rapport y est encore aujourd'hui dans les archives.

Dans notre laboratoire, nous avons fait des expériences sur la condition appelée mort. Les épreuves ne dépendirent pas de nos impressions personnelles, mais furent enregistrées par une caméra qui prenait des milliers de clichés par seconde. Une image est surimposée sur un point de lumière qui se déplace rapidement. Lors de la photographie, le film retrace un assemblage de points lumineux d'où nous tirons l'image complète. On la reproduit alors sous fort agrandissement et on ralentit le film jusqu'à ce qu'il puisse être projeté sur un écran ordinaire. On peut alors le passer aux rayons X et voir la formation complète d'un élément de vie.

Nous avons reçu la visite de beaucoup de gens atteints d'une maladie qui, à leur connaissance, ne devait plus les laisser vivre que quelques heures. Ils se portaient volontaires pour être en observation. Un médecin de service guette le moment où survient ce qu'on appelle généralement la mort. Une balance enregistre une perte de poids d'environ 300 grammes. L'émanation lumineuse du corps est visible juste au-dessus de la balance.

Aujourd'hui nous savons que l'élément de vie est doté d'intelligence, de mouvement, et de volonté, au point que si nous mettons un obstacle au-dessus de lui, il le traversera. Il traversera le plafond de la pièce. Nous l'avons contrôlé en plaçant quatre caméras à des endroits variés. Quand la caméra du sol perdait de vue l'objet, celle placée au-dessus le captait et démontrait que l'émanation d'énergie se poursuivait. Nous replaçâmes la plaque d'interférence au-dessus du corps et poussâmes l'ensemble sur le côté. Les émanations traversèrent le mur. Quand la caméra placée d'un côté du mur perdait l'émanation, celle de l'autre côté la captait.

Nous construisîmes en forme de cône un interféromètre en aluminium, plomb, et amiante dont la base recouvrait le corps, afin d'empêcher l'élément vital de s'échapper. Dans trois cas, et moins d'une minute après la mise en place de l'interféromètre, le cadavre se remit à vivre.

Quand la vie revint, le corps n'avait plus aucune trace de la maladie et il était manifestement immunisé contre cette maladie. Nous ne savons pas pourquoi.

Un de nos groupes travaille maintenant avec cet interféromètre. Nous envisageons l'avenir qui permettra de démontrer la raison pour laquelle l'élément vital a acquis une énergie accrue. Quand il retourne à un corps, de nouvelles conditions prévalent. Les trois personnes dont j'ai parlé étaient atteintes de la peste noire. L'une d'elles va travailler avec les pestiférés pour prouver qu'elle est immunisée. La seconde reste craintive, et nous ne l'avons pas incitée à sortir. Cependant, sa guérison date de sept ans, et elle n'a jamais plus souffert de la maladie. Quant à la troisième, elle ne comprend absolument rien de ce que nous faisons et ne peut donc nous aider.

Avant que l'élément vital ne quitte le corps, nous pouvons démontrer que ses vibrations sont tellement abaissées qu'il lui est impossible d'y rester. Il est alors complètement évincé. Mais, lors de son éviction, il conserve la volition créée en même temps que lui, et il commence à assimiler de l'énergie. En très peu de temps, il peut alors s'insérer dans un nouveau corps, quelles que soient les circonstances. Nous ne pouvons pas affirmer positivement ce fait, mais nous croyons que beaucoup de corps sont reconstitués entre une heure et trois heures après l'expérience de la mort.

Dans le cas du corps étendu depuis six cents ans avec son activité interrompue, on a suggéré que cet homme opérait activement dans un autre corps. Nous allâmes finalement là où vivait cet homme présumé dans un autre corps. Nous prîmes sa photographie et nous la comparâmes avec l'une de celles du corps en activité interrompue. La ressemblance était parfaite.

Nous vîmes encore un autre de ses corps. En tout, nous en vîmes quatre. Nous savons que beaucoup d'hommes transportent leur corps d'un endroit à un autre bien plus vite qu'il n'est possible de le faire en voyageant normalement. En conséquence, nous disposâmes quatre hommes non influençables munis de caméras pour qu'ils puissent photographier au même instant les quatre sosies de l'homme en état d'activité suspendue. Quand les photographies furent réunies, nous constatâmes que leurs images étaient toutes exactement semblables à celle de l'homme étendu. Les sujets étaient tous du même modèle.

On nous a dit mille fois que les corps sont reconstitués. Si quelqu'un mène une vie normale, quand sa mort survient, il peut abandonner son corps et en reconstituer immédiatement un nouveau. Nous voyons ainsi pourquoi nous devrions considérer différemment le passage à travers la mort. Celle-ci est un état de choses que nous avons amené sur nous-même pour passer à un niveau plus élevé comportant des possibilités plus vastes.

Jésus nous a souvent dit que nous devenons ce que

nous adorons. Si nous nous trouvons limités, c'est que nous avons adoré la limitation. Or tout être humain est capable d'adorer la perfection; en pratiquant ce comportement, il peut se sortir des limitations.

On dit aujourd'hui que le corps humain peut résister à tout. Si nos pensées dirigent le principe de Dieu, nous mettons en jeu la puissance qui nous entoure et nous la consolidons de telle sorte que rien ne peut nous toucher.

La perfection existe, elle est toujours active et, quand nous nous unissons à elle, elle opère immédiatement. Dans beaucoup de cas, nous voyons la lumière qui émane du corps d'un individu, et, si nous le photographions, cette lumière figure sur l'image. La lumière est la vie, ou l'intermédiaire dans lequel la vie existe.

Il est tout à fait évident que si, au lieu d'admettre la vieillesse pour but, comme nous le faisons, nous y placions la jeunesse en progressant selon un comportement positif bien déterminé, nous accéderions à cet état. Il existe aujourd'hui des hommes et des femmes qui ont abouti à la jeunesse éternelle. Beaucoup de philosophes orientaux disent que « Si vous adoriez la jeunesse, la pureté, et la perfection aussi franchement que vous aviez adoré la vieillesse, vous aboutiriez à ces idéaux. En fait, vous ne pourriez faire autrement ».

Nous ne cherchons en aucune manière à discréditer la vieillesse, mais à montrer la manière de penser qui y conduit. Ne vaudrait-il pas mieux révérer les hommes pour la jeunesse, la beauté, et la mesure de perfection qu'ils expriment, plutôt que pour leur vieillesse? Le véritable idéal se forge dans un corps largement accepté comme créé à l'image de son Créateur. La divinité que l'homme accepte comme lui appartenant atteint son expression la plus sublime dans la jeunesse, la beauté, et la pureté.

Nous avons la faculté de projeter la ligne de conduite que nous devrions suivre. Nous admettons tous que nous pouvons utiliser cette faculté avec un mauvais comportement. Mais si nous nous orientons vers la perfection, celle-ci surviendra forcément. Nul n'accomplit quelque chose sans s'unifier avec son but, et en oubliant toutes les autres circonstances. Résumons cela en un fait très simple. Si nous exprimons clairement et positivement les faits qu'il nous incombe d'accomplir, alors nous atteignons rapidement notre but. Un seul but ! Une seule direction ! Ne permettez jamais à votre pensée de dévier même un instant vers des conditions négatives.

Nous avons vu beaucoup de changements et de guérisons, des résultats positifs tirés d'un entourage négatif sans qu'un mot ait été prononcé. Cela nous a démontré que le Principe se manifeste lors de chaque expression de pensée positive. Mais il faut que les pensées soient toujours dirigées vers une conclusion positive. Nous qualifions de Maîtres ceux qui ont acquis le pouvoir d'accomplir ces choses à volonté, parce qu'ils ont maîtrisé les forces de la nature. Ils n'agissent pas comme si la perfection était un phénomène rare. La perfection est un état naturel que l'on peut atteindre en suivant des conclusions naturelles — toujours !

Le corps est naturellement indestructible. C'est

nous-mêmes qui lui permettons d'être détruit. Ce sont les pensées et les sentiments que nous imposons au corps qui créent l'âge, la maladie, et la désintégration. Il est bien connu aujourd'hui que chaque cellule de notre corps se renouvelle en moins d'un an. L'un des plus grands sophismes enseignés à l'humanité est celui des trois vingtaines et dix, des soixante-dix ans ! Nous connaissons des hommes et des femmes âgés de plus de deux mille ans. Or si quelqu'un peut vivre plus de deux mille ans, il peut vivre éternellement. C'est exactement ce que Jésus pensait quand Il a dit : « Le dernier ennemi à vaincre, c'est la mort. »

Jésus a dit que le Père est le principe grâce auquel l'humanité peut s'accomplir, que la Vie doit être vécue, et qu'il n'y a aucun mystère dans Ses actes et Ses enseignements.

Le Principe ne peut changer. Vous pouvez le négliger pendant l'éternité si vous voulez, mais dès que vous vous y rattacherez, vous retrouverez une condition parfaite. Votre corps enregistrera le résultat de votre décision. Quelqu'un qui connaîtrait et utiliserait ce principe n'hésiterait pas à marcher sur l'eau. On vous a souvent dit que si quelqu'un s'efforce de faire quelque chose et réussit, tout le monde peut en faire autant. Le Pouvoir a toujours existé et existera toujours. Pourquoi est-il écarté ? Parce que nous élevons devant lui la barrière de l'incroyance.

Le pouvoir qui amène une machine à exister pourrait faire naître instantanément les produits de cette machine. Nous parlons à de grandes distances grâce au téléphone. Il y a toutefois beaucoup de personnes qui en font autant sans avoir recours à une machinerie quelconque. La télépathie est reconnue comme un fait. La télépathie contient un grand pouvoir. C'est Dieu parlant à Dieu. Beaucoup de gens pourront dire que cette affirmation est sacrilège, mais elle comporte tout autant de certitude que celle de dire que nous vivons aujourd'hui. Il faut que l'humanité apprenne finalement qu'il vaut beaucoup mieux vivre continuellement sous des influences positives. Alors nous ferons le grand pas en avant.

Notre groupe n'est pas le seul à formuler ces conclusions. Beaucoup de gens et de groupes travaillent dans le même sens. L'adhésion à cette ligne de conduite produira une complète harmonie, une complète unité, là où elle sera pratiquée.

Peu importe que l'ensemble de l'humanité croie ou non à cet état de choses. Les faits sont évidents. Quand Jésus a dit qu'Il avait vaincu la mort, c'était la vérité. En constatant cette vérité aujourd'hui, des milliers et des milliers de personnes sauront que le corps est immortel, pur, parfait, et indestructible. Le mystère a disparu, et nous sommes au seuil de la compréhension complète.

QUESTIONS ET RÉPONSES

Q : *Connaissez-vous quelqu'un d'autre que les Maîtres qui ait atteint la maîtrise complète sur la vieillesse et la mort ?*

R : Oui, beaucoup de gens l'ont atteinte, et vous-même pouvez y parvenir. Sachez que vous en êtes le maître, et vous l'êtes. J'ai vu des gens rajeunir. J'en connais une soixantaine qui avaient des cheveux gris et qui paraissaient vieux. Ils abandonnèrent toute pensée d'anniversaires, toute idée d'âge, et aujourd'hui ils paraissent avoir quarante ans.

Q . *Que pouvons-nous faire pour les enfants qui vont à l'école où on leur enseigne une manière de penser, à l'Église où on leur en enseigne une autre, et à la maison où nous leur enseignons la Vérité ? Ne vont-ils pas être perturbés ?*

R . Vous pouvez enseigner vos enfants de telle manière que la Vérité ne les perturbera pas. Soumettez-leur des citations très simples de Vérités, et ils les adopteront, ils les approfondiront plus que toutes les autres. Par exemple : Le Christ est tout en vous. Vous verrez ce qu'ils finiront pas vous répondre. Beaucoup d'enfants ont des perceptions plus affinées que les adultes ne l'imaginent.

Q . *Dans un de vos précédents livres, vous dites que si nous tournons notre attention vers l'intérieur, nous pouvons effectivement élever notre vision un peu plus haut et littéralement voir Jésus.*

R : Quand vous verrez le Christ, vous saurez que vous voyez Jésus. Le Christ est en chacun, en chaque lieu, quand vous vous associez à Lui.

Q : *Avez-vous physiquement vu Jésus et parlé avec Lui, ou s'agissait-il d'un phénomène mental ?*

R : Non, ce n'était pas une apparition. Il est vivant et réel, et nous pouvons le photographier aussi bien que nous pouvons vous photographier.

Q : *Puisque l'homme est essentiellement un être spirituel et recherche constamment la lumière, comment sera-t-il capable de reconnaître la Vérité dans les temps modernes où il y a tant de croyances et d'enseignements différents, et tant d'opposition ?*

R : L'homme est esprit. Peu importe ce que nous opposons à l'esprit. L'homme *est* toujours. Il n'y a pas d'opposition à cela. Seules nos pensées s'opposent.

Q : *Quand nous appelons le Christ à l'aide, est-il vrai qu'Il est avec nous et qu'Il nous entend ?*

R : Voici ce qu'Il a dit à ce sujet : « Adressez-vous au Christ intérieur. » Il est plus proche de vous. Il *est* vous. Appelez le Christ intérieur. Peu lui importe que vous l'appeliez puisqu'Il consacre tout Son temps à l'humanité. Nous commettons l'erreur de rechercher le Christ à l'extérieur. Appelons d'abord le Christ intérieur. Alors notre appel s'étend à l'univers entier, et tout ce que nous demandons est à nous.

CHAPITRE IX
La loi de l'approvisionnement

La répétitión de mantrams est hypnotique, et les gens établissent leurs propres limitations en s'appuyant sur la puissance des affirmations.

Dès que nous disons : « J'ai besoin d'une certaine condition », nous barrons le chemin à beaucoup de bonnes choses que nous n'avons pas reconnues, et nous n'avons ouvert qu'une voie d'expression. A moins que notre désir n'ait été exprimé avec la plénitude d'une vie en expansion, sa réalisation peut prendre une forme ınattendue. En insistant sur le désir, on peut même aggraver le besoin au lieu de le satisfaire. Dès que nous barrons le libre écoulement de la substance par une affirmation limitative, nous empêchons l'abondance de Dieu de se manifester parfaitement.

« JE SUIS abondance. » Telle est la grande formule qui fournit toutes les choses. Elle ouvre toutes les voies d'expressions et n'en ferme aucune. Elle reconnaît la présence de Dieu en toutes choses, et l'unité consciente de la personnalité avec la source de tout ce qui est bon. Vous découvrirez que c'était aussi l'enseignement de Jésus. Il s'agissait toujours d'abondance sans aucune sorte de limitation.

« JE SUIS connaissance. » « JE SUIS harmonie. » L'usage de ces formules revitalisera l'énergie corporelle au point qu'il en résultera une nouvelle conscience de l'abondance, de la connaissance, et de l'harmonie. L'usage de ces formules dans la vie quotidienne ne provoque aucune déperdition d'énergie.

Mais si quelqu'un a des biens en abondance, il faut que les autres en aient aussi. Si nous nous conformons à ce principe, nous apprendrons bientôt que si une seule personne est dépourvue d'abondance, nulle autre ne peut prospérer. Si nous croyons que nous ne sommes pas prospères, c'est parce que nous nous sommes isolés de ce flot d'abondance qui coule librement, et que nous avons construit l'idole du manque.

Nous avons cru et fait croire que nous sommes simplement une partie du tout. Mais chacun est fondu dans l'ensemble, faute de quoi l'ensemble ne serait pas une unité complète. Si quelqu'un s'en trouvait séparé, l'unité ne pourrait pas être complète. Dès que nous comprenons notre unité avec l'ensemble, nous découvrons que nous l'exprimons vers l'extérieur.

L'adoration de Dieu pratiquée de tout cœur et avec toutes nos forces nous libère de toute limitation. Personne n'a besoin d'être isolé. Il est possible d'éprouver dès maintenant ce sentiment d'union avec l'abondance de Dieu. La première décision doit consister en un effort pour se débarrasser du sentiment de limitation que nous avons créé nous-mêmes. Il faut franchir plusieurs étapes assez bien définies pour y parvenir.

Il n'existe pas de situation dont on ne puisse triompher. Le bonheur, la prospérité, et l'abondance appartiennent à tous. Le plus grand obstacle est le défaut d'acceptation.

Quand la populace se moquait de lui, Jésus y prêtait-Il la moindre attention ? Quand Il voyait des gens rechercher des choses auxquelles ils croyaient avoir droit, mais dont ils étaient déjà possesseurs, Il leur conseillait de rester tranquilles et de voir le salut du Seigneur. Il continua en expliquant que l'homme est le seigneur de toute la création et en disant : « Soyez en paix. » Il enseigna à ses disciples à reconnaître qu'ils étaient libres. Grâce à cette affirmation, ils atteignirent leur qualité de disciples en partant de ce que l'on appelle les bas-fonds de la vie. Quand Jésus choisissait un disciple parmi les pêcheurs, le considérait-il comme un pêcheur ? Non. Il le voyait comme Son disciple, un « pêcheur d'hommes ». Il lui disait : « Suis moi. » Il ordonna à tous ses disciples de suivre la ligne de conduite qui Lui avait permis d'arriver au niveau où Il était. Tout se passa avec la plus grande humilité, parce qu'Il expliqua clairement que l'égoïsme ne pouvait pas entrer dans le Royaume des Cieux.

L'examen des conditions régnant aujourd'hui sur toute la planète montre que d'apparentes discordes nous placent dans une situation où nous croyons être séparés de nos voisins et n'être que des individus distincts dans le grand plan de l'existence. Mais nul ne peut être exclu de ce plan, et le plan continue à se manifester. Chaque individu est aussi nécessaire pour sa plénitude que les atomes pour constituer une molécule. Lorsque, grâce à notre manière de vivre, nous exprimerons à nouveau l'harmonie de l'existence, nous comprendrons que nous n'avons jamais été séparés ni exclus de l'unité avec le tout.

Jésus a enseigné en mots simples que le terme de notre vie n'est pas la mort, mais une expression plus vaste de la vie. Chacun de nous est une unité opérant harmonieusement dans le grand principe où chaque individu se tient en complet accord dans son propre domaine. En conséquence, si vous parcourez les enseignements de Jésus, vous verrez qu'Il a proclamé : « JE SUIS Dieu », et que chaque individu peut affirmer la même chose. Ceci n'est pas une fraction du Principe, mais le Principe lui-même.

Les doctrines religieuses ont bien trop souvent mis l'accent sur la théorie au lieu de la pratique. La répétition de cette manière de faire limite notre compréhension de la Vérité à celle des objets physiques, et nous en perdons la signification spirituelle. Lorsqu'on interrogea Jésus sur la réponse aux prières, Il répondit que si une prière ne recevait pas de réponse, c'est qu'elle avait été mal formulée. Vous verrez que si vous vous en tenez franchement à une déclaration positive, vous n'aurez absolument pas besoin d'employer des paroles. Dès que vous comprenez intérieurement que l'abondance existe déjà pour vous, sa manifestation se produira instantanément. Alors vous n'avez besoin d'aucune suggestion extérieure. Vous êtes en parfaite harmonie avec le Principe. Dès que vous pensez à une situation, vous êtes unifié avec elle. Si vous vous accordez franchement avec une situation, vous n'aurez jamais besoin de répéter une demande. Elle est réalisée avant que vous la formuliez. Jésus a dit : « Tandis qu'ils demandent, J'ai entendu. » Puis il continua en disant franchement : « Avant que la parole soit prononcée, elle est déjà accomplie. »

Quel besoin avons-nous de continuer à demander un état de choses qui est déjà réalisé ? Combien de fois une situation peut-elle être réglée ? Avons-nous besoin de supplier pour une chose que nous possédons déjà ? Non. Vous pouvez suivre à la trace la vie de nos plus grands hommes et voir comment ils acceptaient les faits. La manière d'accomplir existait déjà profondément dans leur subconscient. Étant libérés de tout sentiment de limitation, ils étaient capables d'exprimer ce qui existait déjà.

C'est par une absence totale de division que nous représentons le Principe. Comment pourrions-nous être dans le besoin si nous remplacions le mot besoin par Dieu ? Le Principe est harmonieux et opère selon des lois précises avec lesquelles les hommes ont besoin d'apprendre à travailler.

QUESTIONS ET RÉPONSES

Q : *Vous dites qu'il ne faut jamais renouveler notre demande pour une chose dont nous avons besoin.*

R : Ce renouvellement implique toujours un doute. Si nous avançons dans la bonne voie, nous dominons tous les doutes et toutes les craintes. Si la chose n'était pas déjà accomplie, nous n'y aurions jamais pensé.

Q : *En d'autres termes, faut-il chercher et connaître, puis dresser une image mentale de l'accomplissement ?*

R : Oui, absolument. Si nous recherchons la Pensée Divine pour la solution, nous ouvrons toutes les voies. Si nous nous projetons nous-mêmes, nous fermons toutes les voies sauf la nôtre. La pensée humaine commet des erreurs. La Pensée Divine jamais.

Q : *Pourquoi ne pouvons-nous pas étendre nos mains comme les Maîtres et les voir remplies ?*

R : Parce que nous ne voulons pas le faire. C'est simplement parce que nous disons que nous ne pouvons pas le voir. Étendez vos mains et remerciez. C'est ce que fit Elie. Cela se fait aujourd'hui sous des millions de formes.

Q : *De quelle manière les Maîtres vous ont-ils aidé dans vos travaux ?*

R : Je peux dire que sans Leur aide, le travail n'aurait jamais été entrepris, et encore moins poursuivi. Nous n'avons jamais eu besoin d'avoir recours à une organisation ou à une personnalité en dehors de notre propre groupe familial. Sans Leur aide, nous n'aurions jamais pu aboutir, même si nous avions disposé des sommes nécessaires. Nous avons bien souvent suivi des voies conformes à nos propres déductions, mais chaque fois il nous a fallu revenir à Leurs conclusions qui étaient basées sur des connaissances de chimie et de mécanique provenant d'anciennes civilisations.

CHAPITRE X

La vérité vous rendra libre

Jésus a dit que la Vérité nous rendrait libres. Si l'on se tient dans ce libre courant de pouvoir universel, rien ne peut vous toucher, et encore moins vous gêner ou vous paralyser.

Le Christ, c'est Dieu s'écoulant à travers les individus. Quiconque se trouve dans ce courant dispose de tout à sa guise, et tout le Principe coule à travers lui.

Pourquoi ce pouvoir est-il devenu statique, inactif et neutre chez beaucoup d'entre nous? Simplement à cause de notre comportement envers lui. Le comportement mental d'un individu peut bloquer complètement l'utilisation de ce pouvoir, bien que celui-ci continue à s'écouler abondamment dans l'univers. Si quelqu'un se rend compte de l'écoulement de ce pouvoir à travers lui, il peut lui donner une expression consciente.

Quand Jésus a fait l'exposé concernant Son unité avec le Père, Il savait que tous les hommes pouvaient atteindre le statut où Il se trouvait et où Il est. La

Vérité nous libère de toutes les situations négatives dans lesquelles nous pourrions nous trouver impliqués. C'est nous seuls qui provoquons ces situations négatives, et c'est nous seuls qui pouvons nous en libérer en changeant notre manière de penser. Jésus connaissait la science permettant d'exprimer cette liberté. Il savait que l'humanité progresserait vers des accomplissements de plus en plus grands à mesure que plus d'individus auraient saisi la Vérité.

Nous ne faisons que commencer à comprendre nos possibilités. Des changements interviennent dans tous les domaines scientifiques. Les savants apprennent que s'ils consentent à travailler franchement avec le Principe, ils aboutiront bien plus rapidement et plus efficacement dans leurs recherches. Un tel comportement leur évite d'avoir à deviner. La dégradation de la notion de Dieu est la mort. Il n'y a pas de mort, sauf si l'on avilit Dieu. Jésus nous a montré le chemin pour nous tourner vers Dieu en disant : « Adorez Dieu de tout votre cœur, de toute votre âme, avec toutes vos pensées et toutes vos forces. » Dans notre dégradation, nous avons adoré des éléments extérieurs, et rendu possible l'existence d'idoles auxquelles nous rendons hommage. Il faut contacter Dieu à l'intérieur de nous, et le présenter ensuite au monde entier.

On nous a beaucoup demandé d'où nous tirions notre autorité pour exposer nos idées. Vous pouvez le trouver par vous-même en prenant une Bible juive et un dictionnaire, et en faisant votre propre traduction. Vous trouverez dans le premier chapitre de la Genèse une histoire complète de millions d'années d'évolution.

Vous verrez que l'humanité a passé par de grandes époques. En déformant les enseignements originels, on lui a enseigné qu'elle se trouvait hors la loi de Dieu, vivant dans une ambiance matérielle où elle était obligée de travailler. Mais Dieu n'a jamais rejeté l'homme. C'est l'homme lui-même qui a créé l'illusion d'une existence mortelle dans laquelle il faut gagner Dieu par des prières et par l'acceptation de formalités religieuses.

Cependant, quelle que soit notre position, nous ne pouvons altérer la Perfection. Elle maintient sa prééminence. Peu importe au Principe la manière dont vous bâtissez votre corps avec vos pensées. Vous ne modifiez en aucune manière le Principe en bâtissant un corps que vous estimez imparfait. On peut entretenir tous les doutes possibles, mais un jour la vérité les envahira. Quand nous abandonnons tous nos doutes, nous nous retrouvons dans la Perfection à laquelle nous appartenons. Jésus a dit que nous étions nos propres sauveurs. Comment un amour épanoui pourrait-il pardonner quelque chose ? Comment un Principe accompli pourrait-il pardonner quelque chose ? Il importe seulement que nous nous pardonnions à nous-mêmes notre séparation.

La grande race humaine d'aujourd'hui est sur le point d'accepter le commandement majeur du Christ — voir le Christ dans chaque individu. Si nous nous orientions complètement vers le Christ-Principe, en présentant une manière de vie chrétienne plutôt que des pensées destructives, nous deviendrions tellement conscients de cette situation élevée que nous changerions la nature de toute l'humanité ! Nous avons à faire face à cette situation dès maintenant. Si nous l'acceptons, nous la connaîtrons comme nous serons connus.

Nous vivons aujourd'hui dans une grande époque qui parachève le cycle où le Christ redevient dominant. Il est toujours le triomphateur. Toute la Bible est un exposé de cette situation aboutissant au retour du Christ, c'est-à-dire que chacun de nous représentera le Christ.

Dès que nous acceptons cela, notre corps devient un corps de lumière. Alors nous commençons à utiliser le pouvoir dont nous avons été inconscients pendant si longtemps.

Nous avons actuellement passé par ce que l'on appelle l'Age d'Or de la philosophie naturelle, qui a atteint son apogée au début du dix-neuvième siècle. Nous avons pleinement conscience des merveilles de la nature, de la perfection du Plan Divin qu'elle projette, et du fait que la divinité existe dans chaque membre de l'humanité. Elle existe aussi dans chaque arbre, chaque plante, chaque fleur, et dans toute la vie végétale. Quant aux minéraux, bien qu'ils aient de la vie, ils se sont formés antérieurement dans une sphère d'influence entièrement différente.

A mesure que l'humanité apprendra à utiliser et à contrôler activement toutes ses facultés mentales, les hommes découvriront que la pensée contient l'aptitude entière de commander, de créer complètement, et d'amener à l'existence vivante tout atome et toute planète. Alors toute substance se rend manifeste. Ce facteur est l'intelligence suprême, Dieu-Intelligence, qui circule autour de nous, à travers tout, et qui est la créatrice de toutes choses. L'homme s'est maintenu dans cette Divinité depuis l'éternité, chef effectif et créateur de toutes choses. Mais lorsque l'on commence à dévier de ce grand et noble plan, la pensée peut créer une punaise, un ver, ou un animal vicieux qui se répandra en tourmentant l'humanité, et pourra même détruire son auteur ou une partie de l'humanité. Mais même si des millions d'hommes emploient des idées malencontreuses, ces idées n'affecteront en aucune manière le plan entier. Elles peuvent apparemment affecter une partie notable de l'humanité, mais la plénitude de l'équilibre divin maintient infailliblement tout en complet accord avec le plan originel, de sorte qu'aucun atome n'est mal placé.

Est-il donc si difficile de comprendre que tout provient d'une cellule originelle pour aboutir à l'Intelligence Infinie, cette divinité qui règne suprêmement sur toutes choses et par leur intermédiaire ? Alors adorons cette immense Intelligence comme seule et unique cause. En nous identifiant avec elle, nous finirons par la comprendre clairement et à comprendre aussi toutes choses.

A moins de nous attacher avec ténacité à cette notion et de l'accepter comme un fait, une vérité absolue, nous manquerons toujours le point saillant de notre existence. C'est par la sélectivité du Divin Principe se manifestant que le Christ est né. Il est la création de toute la race humaine, le vrai Christ dans chaque forme. Telle est la vraie conception immaculée que Marie avait prévue et la conception totale de tout enfant nouveau-né. Le vrai Christ se perpétue à travers toute l'humanité. Celle-ci est donc éternelle et immortelle, la véritable existence de Dieu.

Contemplez les merveilles de la création et de la naissance. Remontez à 800 millions d'années dans le passé, si vous voulez, et vous trouverez ce Principe Divin, le Christ, dans chaque individu remarquable de l'humanité d'alors. Revenez-en à l'époque actuelle, et vous le trouverez tout aussi empreint d'autorité, dominant, et tout aussi justifié que dans l'antiquité. Peu importe la manière dont il a été dissimulé par la pensée ignorante, négative et mortelle des hommes. Dès que l'on a eu un aperçu de cette Vérité qui soutient tout et est soutenue par tout, le courant de pensée est ouvert à son influence bénéfique.

C'est cette influence qui a établi et maintenu l'épaisse couche d'ozone juste assez haut au-dessus de la Terre pour qu'elle forme un bouclier protecteur qui filtre les rayons vivifiants du soleil et en laisse passer juste assez pour maintenir la vie sur cette planète. Dès que les hommes prendront note de cette grande activité bénéfique et de ce qu'elle signifie pour chacun d'eux, le principe Christique reviendra s'insérer dans toute l'humanité. Ils verront alors l'unique et suprême Dieu-Principe-Intelligent qui gouverne tout avec justice et sagesse. On ne créera plus de faux dieux et l'on ne gravera plus leurs images.

Cette Vérité complète, ou unité de dessein, n'est

jamais désaxée par des colères ou des manifestations émotives. Elle se maintient paisiblement au-dessus de la tempête. Ce grand calme n'est pas non plus troublé quand nous ouvrons notre pensée à son influence et que nous le laissons simplement s'écouler à travers tout notre corps. Nos pensées sont alors tellement saturées par cette influence divine que nous ne tardons pas à reconnaître que nous sommes vraiment de nouveau chez nous, que nous sommes unifiés, et que nous sommes le seul instrument qui ait complètement transcendé le temps et l'espace. Nous sommes revenus dans le magnifique jardin de Dieu-Principe-Intelligent, bien chez nous sur cette terre où toutes les beautés du ciel existent et ont toujours existé, le merveilleux paradis de Dieu à l'intérieur de chaque forme humaine.

Allez droit en vous-même pour trouver Dieu, l'Intelligence Suprême. Si vous faites cela de tout cœur en sachant que Dieu est réellement vous, votre être tout entier, vous trouverez chaque réponse et vous serez toujours immuable, stable, et omniscient. Là vous vous trouverez bien chez vous, et vous découvrirez aussi que vous êtes toutes les choses, que vous les connaissez toutes, que vous êtes capable de les extérioriser, et que vous êtes la Vérité entière. Il est bon de savoir que tous les individus sont les mêmes que vous et de leur attribuer les mêmes privilèges que ceux que vous possédez. Si vous savez que vous avez abouti dans ce sens et maîtrisé tous les obstacles, vous pouvez aller où vous voulez, faire ce que vous voulez, et mentionner Dieu en toutes choses. Il n'y aura plus de limitations dans vos pensées pour autrui.

Combien de temps faut-il pour effectuer ces transitions ? Le temps que vous leur accordez. Si vous ne leur accordez qu'un instant, la chose est accomplie. Réjouissez-vous simplement en Dieu, qui est vous-même, et débarrassez-vous de toute limitation. Rappelez-vous aussi qu'un instant est toute l'éternité.

Dieu, je vous remercie pour l'abondance de vie et de lumière, pleines et libres, pour la parfaite plénitude, la richesse, le pouvoir, et une liberté sans restriction.

En formulant cette prière, pensez toujours au temple de votre corps, et sachez que la forme corporelle contemplée est Dieu. Quand vous regardez votre corps, vous regardez le parfait et complet temple de Dieu.

Votre corps est le tout premier temple qui ait été manifesté sous une forme. Il est donc le temple le plus pur où Dieu puisse habiter. Alors, pourquoi ne pas aimer et adorer ce temple ? En le faisant, il faut rester absolument conscient que ce corps est le complet temple de Dieu, car la véritable adoration consiste à *aimer*, à *penser*, et à *accepter*.

Il n'a jamais existé de temple matériellement bâti par des mains humaines et comparable à ce Temple du Dieu vivant. Les hommes ont dessiné des images et bâti des formes que leur imagination avait conçues, mais elles sont loin de pouvoir manifester même une seule des fonctions de ce magnifique temple corporel. Il n'existe dans le monde aucun laboratoire dans lequel une machine pourrait faire ce que le laboratoire naturel du corps fait automatiquement. Ce dernier absorbe de la nourriture, la transforme en vie, ou produit une forme vivante qui perpétue la race. Une machine ne saurait plier un muscle, et encore moins penser, se déplacer, agir, parler, et percevoir le présent, le passé, ou l'avenir. L'homme est capable de bâtir et de construire, et aussi d'aller enseigner, de réaliser des projets, d'aider la postérité, et de manifester ce qui est bon et noble, honorable et magnifique.

Réfléchissez. Existe-t-il en dehors du corps humain un temple qui puisse manifester toutes ces qualités sans en avoir été doté au préalable par le grand et glorieux temple du corps, le premier et unique temple non bâti de main d'homme? Est-il surprenant que Dieu ait choisi d'habiter cette glorieuse forme corporelle et de se sentir chez lui dans cette forme Divine, ce Temple de Dieu qui se renouvelle complètement lui-même?

Réfléchissons et recherchons comment et pourquoi ce corps a été pareillement dégradé. Des individus sacrilèges, trompeurs, ignorants, pillards, et parlant à tort et à travers de la vérité réelle ont enseigné que le corps est faible, pécheur, imparfait, inférieur, anormal, sujet à la maladie, au dépérissement, et à la mort, qu'il a été conçu dans l'iniquité, qu'il est né dans le péché. Ils ont employé toutes les pensées et expressions susceptibles d'être évoquées par des hommes immoraux.

Commençons donc par réfléchir et par examiner le passé pour voir où et comment ces enseignements, pensées et paroles nous ont graduellement attirés dans le terrible tourbillon du péché, de la duplicité, de la maladie, de l'échec, et enfin de la plus grande honte de toutes, la mort. Examinons avec clairvoyance les résultats de cette perfidie et voyons dans quelle mesure elle nous a conduits à déshonorer cette forme parfaite du corps de Dieu.

Dès maintenant, pardonnons vraiment, donc oublions cette perfidie, faisons-la disparaître de nos vies, de nos pensées, de nos actes, et de toute notre expérience. Puis continuons à pardonner et à oublier jusqu'à ce que tout vestige de cette expérience soit complètement éliminé de notre subconscient. C'est par le processus de nos pensées subconscientes que cette expérience a été gravée par répétition, comme une photographie, par une influence vibratoire. Elle finit par nous répéter indéfiniment ces souvenirs jusqu'à ce que nous croyions qu'ils représentent la vérité.

Une photographie de vous-même, ou d'un ami, ou d'une tierce personne n'est que l'enregistrement des vibrations de la forme corporelle de l'intéressé. C'est de cette même manière que les formes pensées (les formes vibratoires des paroles prononcées) sont enregistrées dans le subconscient, et ce dernier est capable de vous les répéter. Pensons, juste pendant un instant, à la manière dont nous avons pris l'habitude d'accepter, de croire, et d'adorer ces contre-vérités dégradantes.

Ensuite, imaginons juste pour un moment que nous n'ayons jamais entendu, ou que l'on ne nous ait jamais enseigné ces paroles mensongères et qu'elles n'aient donc pas fait partie de notre vocabulaire. Nous ne les aurions alors jamais connues, ni acceptées, ni apprises, ni adorées.

Si nous sommes capables d'apprendre et de croire

ces paroles, nous sommes encore beaucoup plus capables de les désapprendre en exigeant qu'elles nous quittent chaque fois qu'elles apparaissent ou que notre subconscient nous les répète. Dites-leur simplement : *Vous êtes pardonnées, donc laissez-moi tranquille.* Ensuite, dites à votre subconscient : *Élimine toutes ces notions et n'accepte plus d'enregistrer autre chose que la vérité que j'exprime.*

Comment pouvez-vous décrire la jeunesse, la beauté, la pureté, la divinité, la perfection, et l'abondance avant de les voir, de les connaître, de les sentir, et de les exprimer en pensées, en paroles, et en actes, oui en les adorant. En le faisant, vous les imprimez sur votre pensée subconsciente, et celle-ci vous les reflète d'après les images que vous lui avez présentées grâce aux vibrations que vous y avez instaurées. Vous découvrirez rapidement que le subconscient n'éprouve pas plus de difficulté à répéter les vérités que vous lui communiquez qu'à répéter les anciennes contre-vérités que vous lui aviez précédemment imposées. Plus vous imprimez de vérités sur votre subconscient par amour et adoration, plus il vous en retournera.

C'est là que vous êtes le maître, car en pardonnant, puis en abandonnant les contre-vérités, vous les avez maîtrisées. Vous vous êtes placé au-dessus et au-delà d'elles. Elles sont pardonnées et oubliées.

En parlant à votre subconscient et en *sachant* que ce que vous lui dites est la vérité absolue, il la reflétera. Si ce que vous lui dites n'était pas la vérité, vous n'auriez pas de corps et vous ne seriez en aucune manière capable de penser, d'agir, de bouger, de parler, de ressentir, de voir, d'entendre, de respirer, ou de vivre.

Le plus grand privilège du monde consiste à savoir que nous sommes tous pareils, et que tous possèdent les mêmes pouvoirs que nous et ne les ont jamais perdus. Au même titre que nous, ils peuvent avoir dénaturé leurs pensées au sujet de ce pouvoir, mais ces pensées dénaturées ne l'ont jamais changé ou diminué en quoi que ce soit. En effet, si nous nous réorientons vers des pensées, des paroles, et des actes conformes à la vérité, nous découvrons que ce pouvoir coule à travers notre corps, et nous ressentons aussitôt la gloire de sa réaction.

Vous avez le pouvoir d'accomplir cela complètement. Vous avez permis à des limitations de dominer votre pensée. Brisez simplement la coquille dans laquelle vous vous êtes vous-même enfermé, et vous êtes alors la Liberté elle-même.

« Connaissez la Vérité, et la Vérité vous rendra libre. »

QUESTIONS ET RÉPONSES

Q : *Est-il vrai que vous êtes allé aux Indes et que vous avez eu l'expérience corporelle des choses décrites dans les livres que vous avez publiés ?*

R : Nous n'avons jamais été capables de voyager dans l'astral, et nous n'avons employé aucun autre procédé que la méthode physique que nous connaissons aujourd'hui. Nos expériences ont eu lieu réellement sur le plan physique.

Q : *Si vous saviez que l'on peut contacter Jésus en n'importe quel endroit, pourquoi êtes-vous allé aux Indes pour découvrir ces vérités ?*

R : Nous ne sommes pas allés aux Indes pour cela.

Q : *Avez-vous jamais transporté personnellement votre corps physique ou astral ?*

R : Je ne connais rien au sujet du corps astral. Nos corps physiques ont été transférés souvent. Nous n'avons jamais été capables de découvrir comment, mais le simple fait que cela s'est produit est une preuve que cela pourrait se reproduire. Il suffit de s'en occuper de la manière appropriée.

Q : *Est-ce que le manque de pardon limite le pouvoir de notre amour ?*

R : L'amour, le pardon, et le principe n'ont

aucune limite. Nous pouvons les utiliser dans toutes les directions et dans toutes les circonstances. Abandonnez simplement les conditions et retournez au principe. Dès que nous avons pardonné, nous sommes pleinement revenus au principe.

CHAPITRE XI

Hommes qui ont marché avec le Maître

Je crois que beaucoup d'entre vous ont semé des graines ou repiqué des plantes, les ont aimées, et ont observé leur croissance. Les plantes réagissent très rapidement. Luther Burbank n'a jamais envoyé une plante de son jardin sans qu'elle ait réagi à sa voix. George Washington Carver en faisait autant. J'avais six ans lorsque j'ai connu Luther Burbank. Il disait toujours que Jésus travaillait constamment avec lui, ce qui troublait beaucoup sa mère et son père parce qu'ils ne le comprenaient pas.

Un dimanche après-midi, il accompagna son père pour rendre visite à un voisin. Ils prirent un raccourci à travers les prairies et traversèrent un champ de pommes de terre. Comme le font les enfants, le petit Luther courait en avant. C'était l'époque où les fleurs de pommes de terre s'épanouissent. L'une des tiges s'élevait un peu plus haut que toutes les autres. Luther s'arrêta pour la regarder. Son père le rattrapa et dit que la fleur oscillait d'avant en arrière. Le garçon lui dit : « Papa, c'est comme cela qu'elle me parle. » « Eh bien, dit son père au mien, j'ai cru que le garçon déraillait, je lui dis de se dépêcher et nous arrivâmes chez le voisin. » Pendant tout le temps où ils y restèrent, Luther ne pensait qu'à rentrer. Finalement, vers trois heures et demie, ils repartirent vers leur domicile. Ils repassèrent par le même champ de pommes de terre. Le garçon se précipita vers la même fleur. Le temps était parfaitement calme et aucune feuille ne bougeait. Quand le père arriva à l'endroit où le garçon se tenait debout, la grande tige avait recommencé à osciller et le garçon dit : « Papa, je voudrais rester ici, Jésus me parle et me dit quoi faire. » Le père le ramena à la maison, lui fit faire ses travaux quotidiens, et l'envoya se coucher. Peu de temps après, il vit le garçon descendre subrepticement l'escalier pour sortir de la maison. On le renvoya au lit à trois reprises. A onze heures ce soir-là, les parents crurent que le garçon s'était endormi pour la nuit.

Le lendemain matin, Luther n'était plus là. Le père partit à sa recherche et le retrouva dans le champ de pommes de terre, bien enveloppé dans une couverture, et dormant profondément aussi près que possible de la grande tige de pommes de terre. Quand il fut réveillé, il dit : « Papa, Jésus a parlé avec moi toute la nuit. Il m'a dit que je devrais veiller sur ce petit bulbe jusqu'à sa maturité, l'emporter, le préserver, et en replanter la semence au prochain printemps. Quand il sera développé, il y aura là une pomme de terre qui me rendra célèbre. » Et c'est précisément ce qui arriva !

Luther Burbank travailla aussi sur le cactus. Il en cueillit un avec sa figue de Barbarie, et le mit dans une cage de verre pour le protéger. Pendant cinq mois et demi, il passa tous les jours une heure assis devant cette cage de verre et parla au cactus à peu près comme suit : « Maintenant que tu es protégé, tu n'as plus besoin de tes piquants, laisse-les tomber ». Au bout de sept mois et demi, les piquants étaient tous tombés. Luther Burbank possédait le cactus sans piquants.

Il avait l'habitude de dire : « Oui, je travaille et je parle avec Jésus, et Lui avec moi. Il m'enseigne ! Il me dit ce qu'il faut faire. »

F.L. Rawson était un frère de Sir Rawson-Rawson, un des grands ingénieurs anglais. Le *Daily Mail* fit appel à lui pour une enquête sur l'Expérience Chrétienne[1], et il fit un travail si remarquable que tout le monde en fut stupéfait. Voici le commencement de son exposé : « Il n'y a rien d'autre que Dieu dans le parfait monde de Dieu. L'homme en est l'image, la similitude, transmettant les idées de Dieu à ses compagnons avec facilité et une régularité parfaite. »

Un jour où je rendais visite à M. Rawson à Londres, nous nous tenions à une fenêtre et regardions la rue. A Londres, on utilisait depuis de nombreuses années des charrettes à deux roues tirées par un seul cheval. On poursuivait des travaux de construction de

1. Christian Science.

l'autre côté de la rue. Un cheval tirant une charrette à deux roues descendait la rue. Il s'arrêta puis recula. Le conducteur se rendit à l'arrière de la charrette, puis soudain, avant que l'on ait pu se rendre compte visuellement de ce qui advenait, le caisson se releva et précipita toute sa cargaison de pierres sur le conducteur. M. Rawson commenta : « Il n'y a rien d'autre que Dieu. » Le conducteur parut sortir tout droit des pierres sans avoir la moindre égratignure.

Un autre événement se produisit dans les mêmes circonstances. Le cheval ne fit pas ce que l'on attendait de lui, et son propriétaire commença à le battre. M. Rawson se borna à tapoter sur la vitre pour attirer l'attention du conducteur. Le cheval traversa immédiatement la rue et posa son museau contre la vitre !

Pendant la guerre de 1914, F.L. Rawson commandait une centaine d'hommes. Elle se termina sans qu'aucun d'eux ait reçu la moindre égratignure, et pourtant ils avaient tous participé aux plus rudes combats. Rawson s'appuyait essentiellement sur cette affirmation : *« Il n'existe rien d'autre que Dieu. »*

*
**

Nous pourrions raconter presque indéfiniment ce qui se passe quand on adopte un comportement juste envers quelque chose. Si nous nous tenons à l'écart d'une chose en disant qu'elle est impossible, il surviendra aussitôt une autre personne qui l'exécutera en très peu de temps. Cela se passa ainsi dans presque tous les cas.

Alexander Graham Bell en fut un bon exemple. Notre famille le connaissait très bien. Il vivait à Jamestown, dans le comté de New York. Il parcourut cent kilomètres à pied entre Jamestown et Buffalo pour prendre contact avec mon père et ses deux frères, qui étaient alors de petits banquiers à Buffalo. Il leur demanda de lui prêter 2 000 dollars pour lui permettre d'assister aux cours de l'Institut Technique de Boston, de perfectionner l'instrument qu'il avait inventé, et de l'installer en 1876 dans les terrains du Centenaire à Philadelphie. Ils lui prêtèrent l'argent demandé. Quand les administrateurs de la banque eurent vent de l'emprunt, ils allèrent voir mon père et mes oncles pour leur demander leur démission, tellement ils étaient certains que Bell ne perfectionnerait jamais son téléphone. On installa des cabines sur les terrains du Centenaire. En payant un franc, les gens pouvaient entrer dans une cabine, appeler leurs amis dans une autre cabine, et causer avec eux. Ce petit appareil souleva un tel intérêt qu'il rapporta plus d'argent que n'importe quelle installation de l'Exposition du Centenaire.

Comme vous le voyez, quand on enferme ses pensées, on en perd le bénéfice.

Alexander Graham Bell avait un caractère vraiment merveilleux. S'il manquait d'argent, c'était à cause de l'aide constante qu'il apportait aux aveugles. Dès qu'il avait le moindre denier, il le dépensait pour eux.

***

Le Dr Norwood avait l'habitude de dire à sa petite congrégation qu'il allait faire une promenade dans le bois proche de l'église, que Jésus viendrait l'y rejoindre et qu'ils marcheraient longtemps ensemble.

Le Dr Norwood officiait dans une petite église de la Nouvelle-Écosse. Il n'y avait que vingt-neuf pêcheurs et leurs familles dans le village. La nouvelle de ses affirmations filtra et nous en entendîmes parler. Nous nous rendîmes alors sur place avec l'intention de prendre des photographies. Nous les prîmes avec une caméra Bell et Howell munie de sa lentille ordinaire, et nous possédons ces photographies.

Quelque temps plus tard, le Dr Norwood fut affecté à l'église de Saint-Barthélémy dans la ville de New York. Moins de cinq mois après, son église fut tellement bondée qu'il fallut installer des haut-parleurs à l'extérieur afin que tous les assistants puissent l'entendre.

Au cours d'un service de fin d'année, et durant l'heure consacrée aux guérisons, on vit Jésus sortir de derrière l'autel et traverser ia nef principale de l'église. J'ai parlé à plus de cinq cents personnes qui s'étaient réunies là et l'avaient vu passer. Voici sa salutation : « Préparez-vous à manifester l'amour à tout l'univers. »

Les chelas des Indes ont une très belle prière dont vous remarquerez qu'elle n'est pas une supplique. « Je traverse aujourd'hui toutes les situations en restant entièrement immergé en Dieu et dans l'abondance de

Dieu. Le Christ triomphant se tient là, uni à l'abondance de Dieu dans toutes les activités de ce jour. Maintenant je sais que je suis l'enfant suprême de Dieu. Dans tous mes déplacements je reste immergé en Dieu et dans le divin amour de Dieu. Dieu ! Dieu ! Dieu ! La grande flamme de l'amour passe à travers tous les atomes de mon être entier. Je Suis la pure flamme dorée de Dieu. Je déverse cette flamme divine à travers mon corps physique. Le Christ Triomphant vous salue. Dieu mon Père, Paix ! Paix ! Paix ! La grande paix de Dieu prédomine. »

CHAPITRE XII

Credo

LE BUT est Dieu. Vous pouvez commencer votre journée avec Dieu en consacrant votre première pensée à Sa présence dans votre propre forme. Permettez-moi de dire que le but est établi et l'a toujours été. Vous êtes divin. La Divine Image, Dieu, le Christ de Dieu, Dieu-homme, Dieu-femme.

Je précise aussi que rien ni personne ne peut vous obliger à penser à tout cela. Il faut que ce soit une offrande de votre libre arbitre à votre Dieu intérieur.

Quand Dieu-Je-Suis est uni avec la vie et le pouvoir universel, et que toute leur force est centrée dans ma nature entière, cela me rend tellement réceptif à la parfaite énergie de Dieu que je peux la transmettre à toutes les formes. Je la rends si réelle que tout peut être rendu harmonieux et parfait. Je sais que tout est en accord avec la vie infinie et avec la liberté et la paix de Dieu.

Ma pensée est pleinement polarisée avec la Sagesse

Intelligente et Infinie. Chaque faculté de mon corps entier peut s'exprimer par ma pensée, et toute l'humanité exprime la même chose.

Mon cœur est rempli à déborder de la paix, de l'amour, et de la joie du Christ Triomphant. Mon cœur est affermi par l'amour divin, dont je sais qu'il remplit tous les cœurs. La vie de Dieu enrichit pleinement mon courant sanguin et remplit mon corps de la pureté de la Vie Divine.

Je suis imprégné de vie par chaque inspiration. Mes poumons l'absorbent et elle vitalise mon courant sanguin.

Dieu-mon-estomac est l'énergie digestive de la vie intelligente et toute-puissante. Chaque organe de mon corps est imbu de santé, et tout mon organisme fonctionne en parfaite harmonie.

Je sais que tous mes organes sont pénétrés par l'Intelligence Divine. Ils sont tous conscients de leurs fonctions et ils travaillent ensemble pour la santé et l'harmonie de mon être tout entier.

Dieu-Je-Suis l'énergie qui remplit tout l'espace. Je tire constamment cette énergie de la vie divine qui m'entoure. Je sais que Dieu est cette intelligence aimante et infiniment sage qui m'imprègne de cette vie divine. Je comprends la pleine domination de Dieu, la présence qui habite ma forme corporelle.

Je loue Dieu pour la perfection curative de la vie. Tout est vie, et je permets à toute la vie de s'exprimer.

Le Christ Triomphant : « Mes paroles sont esprit et vie », et aussi : « Si quelqu'un garde mes paroles, il ne verra jamais la mort. »

Le Christ Intelligent, le Christ Triomphant transmet abondamment l'amour à l'univers entier.

La Pensée Suprême est tout. Je Suis la Pensée Suprême. Je Suis la Sagesse, l'Amour et la Puissance Suprêmes. Du plus profond de mon cœur, je chante avec reconnaissance le bonheur d'être la Sagesse sublime et illimitée. J'exige de l'attirer en moi-même et de devenir complètement conscient de cette Sagesse infinie.

Souvenez-vous que les PENSÉES ET LES PAROLES PRONONCÉES SONT DES CHOSES. Clamez l'heureuse nouvelle de votre joie d'être libre, complètement libre de toute limitation. Puis SACHEZ que vous êtes libre et poursuivez triomphalement votre chemin en liberté.

JE SUIS NÉ DE NOUVEAU DANS LA PARFAITE PUISSANCE DE LA PENSÉE SUPRÊME DE DIEU. JE SUIS DIEU.

Allons dans le monde entier en comprenant pleinement que notre raison d'exister consiste à communiquer à chaque âme la joyeuse Lumière de l'Amour. C'est vraiment notre plus grand privilège. Pendant que nous irradions cet amour illimité de Dieu pour toutes les âmes, nous tressaillons de joie avec le Saint-Esprit. Nous éprouvons aussi l'amour de Dieu pour toute l'humanité. Éprouver et connaître ceci équivaut à éprouver et connaître le Christ Triomphant dans l'humanité. Cela nous confère le pouvoir de guérison et la sagesse de Jésus.

Au cours des conférences des deux dernières années de sa vie, Spalding récitait souvent un poème écrit par

John Gillepsie Magee, un pilote de l'Aviation Royale Canadienne abattu au-dessus de l'Angleterre le 11 décembre 1941 à l'âge de dix-neuf ans.

Peu de temps avant sa mort, John Magee envoya à sa mère le poème intitulé *Haut Vol* qui devint bientôt connu dans le monde entier et que l'on considère encore aujourd'hui comme le plus grand poème issu de la Seconde Guerre mondiale.

Parce que c'était son texte favori, nous croyons que Spalding aimerait que le texte de *Haut Vol* soit inclus dans ce volume.

HAUT VOL

Oh ! J'ai franchi les frontières moroses de la Terre
Et dansé dans les cieux sur les ailes argentées du rire.
J'ai grimpé vers le soleil, j'ai participé
A l'allégresse chaotique des nuages épars.
J'ai fait cent choses dont vous n'auriez pas rêvé.
J'ai tournoyé, balancé, virevolté,
Bien haut dans le silence ensoleillé.
En y planant, j'ai pourchassé le vent qui crie
Et lancé mon ardent appareil à travers des
Salles aériennes sans bases.
De plus en plus haut dans le bleu délirant et brûlant,
J'ai surmonté avec une grâce facile les hauteurs
Balayées par le vent
Où jamais une alouette ni même un aigle n'ont volé.
Et tandis qu'avec une silencieuse pensée élévatrice,
Je parcourais les hauts sanctuaires inviolés de l'espace,
J'ai étendu ma main et touché la face de Dieu.

Cet ouvrage a été composé et imprimé par

Mesnil-sur-l'Estrée

pour le compte des Éditions Robert Laffont
24, avenue Marceau, 75008 Paris
en décembre 2006

Imprimé en France
Dépôt légal : juillet 1988
N° d'édition : 47715/12 - N° d'impression : 82623